ÉTONNANTS • CLASSIQUES

MADAME DE LAFAYETTE

La Princesse de Clèves

Présentation, notes et dossier par
MARIE-AUDE DE LANGENHAGEN,
professeur de lettres

Cahier photos par
ÉLISE SULTAN,
professeur de lettres

Flammarion

Dans la même collection

Baroque et classicisme (anthologie)
Mme de Sévigné, *Lettres*

© Éditions Flammarion, 2007.
Édition revue, 2012.
ISBN : 978-2-0812-8211-7
ISSN : 1269-8822

SOMMAIRE

■ **Présentation** 5

Madame de Lafayette, une femme secrète   5
Le genre narratif à l'époque classique   8
Les désordres de l'amour   12
La peinture de la cour   17

■ **Chronologie** 23

La Princesse de Clèves

Première partie   33
Deuxième partie   82
Troisième partie   125
Quatrième partie   168

■ **Petit lexique du Grand Siècle** 209

■ **Dossier** 213

Madame de Lafayette, une femme secrète

Une jeunesse dorée

Marie-Madeleine Pioche de La Vergne, future Mme de Lafayette, naît en 1634 à Paris, dans une famille de très petite noblesse mais proche du puissant cardinal de Richelieu qui lui assure protection. Dès l'enfance, Marie-Madeleine rencontre des hommes de lettres et des poètes, que son père côtoie assidûment ; elle reçoit ainsi une éducation littéraire solide et complète. En 1649, son père meurt ; sa mère se remarie dès l'année suivante avec Renaud de Sévigné, l'oncle de la future épistolière, lui aussi un lettré. Après une courte période d'exil (1653-1654) au moment des troubles de la Fronde [1], le couple rentre à Paris et y reçoit toute la haute société : Scarron et Ménage [2] deviennent des intimes. Marie-Madeleine commence à fréquenter l'hôtel de Rambouillet, haut lieu de la préciosité (voir *infra*). À seize ans, déjà reconnue

---

1. *La Fronde* : révolte contre le pouvoir royal menée successivement par les parlements et par les princes, de 1648 à 1652.
2. *Paul Scarron* (1610-1660) : auteur mondain qui a écrit des comédies très appréciées pour leurs intrigues bouffonnes et leur comique verbal ; il a surtout laissé un récit satirique et réaliste racontant la vie de comédiens ambulants aux prises avec les provinciaux du Mans, *Le Roman comique* (1651 et 1657, inachevé) ; *Gilles Ménage* (1613-1692) : auteur mondain qui a composé de nombreux vers d'inspiration galante.

pour ses qualités spirituelles, elle est nommée fille d'honneur de la reine Anne d'Autriche.

Une brillante ascension sociale

En 1655, âgée de vingt et un ans, Marie-Madeleine épouse le comte de Lafayette, de vieille et haute noblesse, de vingt-sept ans son aîné, à l'église Saint-Sulpice. Dans un premier temps, le couple se retire sur ses terres situées dans le Limousin, mais il revient bientôt à Paris. La comtesse de Lafayette tient salon à son domicile, un somptueux hôtel particulier rue de Vaugirard, tandis que son mari séjourne le plus clair de son temps dans les châteaux qu'il possède en Auvergne. C'est dans son salon que Mme de Lafayette côtoie Segrais [1] et Ménage, deux soupirants qui n'obtiendront jamais ses faveurs. Elle fréquente aussi les grands de l'époque : le duc de La Rochefoucauld, qui deviendra un ami fidèle et qu'elle verra presque quotidiennement jusqu'à sa mort, des proches de Port-Royal [2], ou encore Henriette d'Angleterre, qui épouse le frère de Louis XIV en 1661 et dont elle devient une intime. C'est le début pour Mme de Lafayette d'une brillante carrière à la cour, où elle intrigue avec beaucoup d'habileté.

Une femme de lettres discrète

Sur les encouragements de Segrais et de Ménage, qui lui tiennent lieu de véritables conseillers littéraires, Mme de Lafayette décide de prendre la plume. En 1659, paraît sa première œuvre,

---

1. *Segrais* (1624-1701) : poète dont certaines œuvres manifestent une grande sensibilité devant la nature, auteur d'un roman intitulé *Bérénice* (1648-1651).
2. *Port-Royal* : haut lieu du jansénisme au XVIIᵉ siècle ; établissement religieux constitué d'un couvent situé dans la vallée de Chevreuse, à proximité duquel résidaient quelques pieux « solitaires » (Port-Royal des Champs), et d'une annexe qui se situait faubourg Saint-Jacques (Port-Royal de Paris). Voir aussi p. 15.

la seule qu'elle signera de son nom : un court portrait de Mme de Sévigné figurant dans un ouvrage collectif intitulé *Divers Portraits*. Mme de Lafayette, qui affectionne les récits brefs, publiera tous ses autres textes de façon anonyme ou en empruntant le nom d'un autre. En 1662, elle rédige *La Princesse de Montpensier*, une nouvelle historique qui paraît sous le nom de Segrais. L'année suivante, elle écrit une autre nouvelle, *La Comtesse de Tende*, qui verra le jour après sa mort, en 1720, sans signature. Comment expliquer ce désir de rester dans l'ombre ? Il est probable que la bienséance impose à une figure importante de la cour une certaine réserve ; on peut aussi lire dans cette conduite la modestie d'une femme qui se considère comme un écrivain dilettante, ne parvenant, faute de temps, qu'à composer des ébauches d'histoires ou des canevas d'œuvres.

La maturité littéraire

En 1665, Mme de Lafayette rompt définitivement avec Ménage, qui s'est lassé de son indifférence, et se rapproche de La Rochefoucauld, auteur d'une œuvre parue avec grand succès en 1665, *Réflexions ou Sentences et Maximes morales*, à laquelle elle a peut-être collaboré. En 1670, la mort brutale d'Henriette d'Angleterre change le cours de son existence : après avoir brillé et intrigué à Versailles, Mme de Lafayette, à trente-six ans, décide de ne plus paraître à la cour. Elle regagne son domicile parisien, où elle continue néanmoins de recevoir et de tenir salon. En 1670, elle écrit *Zaïde*, un ample roman héroïque hispano-mauresque couronné par la critique et signé Segrais. En 1678, la publication anonyme de *La Princesse de Clèves* déclenche une vive polémique, qui n'est pas sans rappeler la querelle du *Cid* (1637). Chacun tente d'identifier par tous les moyens possibles l'auteur de l'ouvrage – successivement attribué à La Rochefoucauld et à Segrais, avant que Mme de Lafayette avoue à demi-mots l'avoir écrit, dans une lettre de 1691 qu'elle adresse à Ménage, avec qui elle a renoué. On se dispute aussi sur la qualité littéraire du volume : certains le jugent remarquable, d'autres confus et empesé. Si le public le plébiscite, la critique généralement le boude.

Une retraite pieuse

La fin de l'existence de Mme de Lafayette est assombrie par des deuils successifs : en 1680, le duc de La Rochefoucauld s'éteint et, trois ans plus tard, M. de Lafayette meurt. À partir de 1684, la comtesse de Lafayette mène une vie pieuse à l'écart de la société mondaine, guidée par un directeur spirituel, l'abbé Duguet. Elle se rapproche aussi du groupe de Port-Royal. Les deux œuvres qu'elle compose dans les dernières années de sa vie – *Histoire de Madame* et les *Mémoires de la cour de France pour 1668 et 1669* – paraîtront à titre posthume.

Mme de Lafayette s'éteint le 25 mai 1693, assistée par une proche de Port-Royal, Marguerite Périer, la nièce de Blaise Pascal. Finalement, Mme de Lafayette n'aura jamais affirmé publiquement être l'auteur de *La Princesse de Clèves*.

Le genre narratif à l'époque classique

Succès du « roman-fleuve »

Le roman connaît son heure de gloire dans la première moitié du XVIIe siècle. Le roman pastoral, qui met en scène bergers et bergères en proie aux tourments de l'amour, charme le public. *L'Astrée* d'Honoré d'Urfé, vaste ouvrage dont la publication s'étale sur plus de vingt ans (1607-1628), remporte ainsi un grand succès. Ce genre relève d'une esthétique baroque, caractérisée par le foisonnement narratif et l'emphase des sentiments exposés. Épisodes secondaires, récits enchâssés et digressions dessinent une narration complexe et non linéaire qui s'inscrit dans la durée d'une année. Les romans de Mlle de Scudéry adjoignent au modèle de *L'Astrée*, à sa peinture de l'amour et des états de conscience qui l'accompagnent (jalousie, dépit, inclination), des exploits guerriers accomplis par de vaillants héros. Ainsi en est-il du *Grand Cyrus* (1649-1653) ; dans *Clélie* (1649-1660), la romancière donne plus de place à l'analyse des sentiments qu'à l'action.

Déclin de l'esthétique baroque

À partir des années 1660, les romans subissent un désaveu du public lassé de récits aux détours infinis et aux stéréotypes nombreux, qui les rendent parfaitement prévisibles : tempêtes, enlèvements, malentendus, tromperies et dénouement heureux... De plus, les théoriciens se détournent de ce genre littéraire qu'ils jugent mineur, comparé à la tragédie ou à l'épopée. Enfin, les goûts évoluent : l'esthétique baroque, qui aime l'enflure et l'irrégularité, fait moins recette. Dès les années 1660, le terme « roman » prend des connotations péjoratives. Dans une lettre adressée à Mme de Sévigné, Bussy-Rabutin [1] condamne ainsi les ouvrages qui « sent[ent] [le] roman ».

Émergence du classicisme

Pour autant, le genre narratif ne tombe pas totalement en désuétude ; il trouve son salut dans la forme de la nouvelle. Segrais

---

1. *Bussy-Rabutin* (1618-1693) : cousin de Mme de Sévigné, auteur de l'*Histoire amoureuse des Gaules* (1655), qui lui valut d'être disgracié puis exilé.

redonne ses lettres de noblesse au texte bref en publiant avec succès en 1656 ses *Nouvelles françaises*. Il encadre son récit fictionnel d'un discours théorique sur la nouvelle, définie par opposition au roman. À la différence du roman, à l'intrigue diluée et aux invraisemblances nombreuses, la nouvelle doit présenter une histoire resserrée mettant en scène des spectacles ordinaires, et offrir une visée morale claire, afin que, comme l'écrit Du Plaisir [1] dans ses *Sentiments sur les lettres et sur l'histoire*, « ces peintures naturelles et familières conviennent à tout le monde ; [qu']on s'y retrouve, [qu']on se les applique ». L'action de ces récits se déroulera donc dans la France contemporaine. Le thème de la galanterie – l'éclat des conversations mondaines et amoureuses – sera au cœur des intrigues. Ce renouveau du genre bref témoigne de deux mutations : esthétique tout d'abord – le classicisme, antithèse du baroque, impose son goût de la mesure, de l'équilibre, de la sobriété et du naturel dans la seconde moitié du XVIIe siècle ; éthique ensuite – contrairement au roman baroque qui exaltait la grandeur de l'homme, sa valeur guerrière et la force de sa volonté, la nouvelle classique dessine une représentation beaucoup plus modeste et pessimiste de l'homme, dont elle fait un être faible et soumis à ses passions.

La Princesse de Clèves : une œuvre inclassable ?

Une nouvelle ?

La Princesse de Clèves de Mme de Lafayette semble répondre aux critères de la nouvelle précédemment énoncés. Le texte repose sur un principe de concentration (quatre parties seule-

---

1. *Du Plaisir* : théoricien du roman et auteur des *Sentiments sur les lettres et sur l'histoire* (1683). Il s'emploie à définir les effets de la fiction et affirme que le lecteur, ému par les personnages, s'attache à eux. Il souligne que la proximité fictionnelle permet d'émouvoir et, ainsi, de mettre en place un mécanisme d'« application ».

ment, des personnages principaux en nombre restreint, peu d'épisodes secondaires), présente une narration linéaire, est placé sous le signe de la vraisemblance psychologique (Mme de Clèves reste fidèle à son mari jusqu'au bout). De plus, l'intrigue, qui se passe « dans les dernières années du règne de Henri second » (p. 33), évoque un temps (années 1558-1559) encore proche de l'époque de la rédaction. Ajoutons que le thème de la galanterie y est central puisque Mme de Lafayette propose un portrait de la société mondaine et de son langage raffiné. En outre, la visée didactique du texte est claire : Mme de Chartres est un guide spirituel et moral qui enseigne à sa fille des leçons de bonne conduite (p. 44) et la fin du texte érige Mme de Clèves en exemple de vertu (p. 208). Enfin, par un style sublime – qui allie grandeur et simplicité, par opposition à l'enflure et à l'emphase baroques –, l'écriture de *La Princesse de Clèves* répond aux canons de la rhétorique classique.

Un texte d'un genre nouveau ?

Notons que Mme de Lafayette elle-même ne désigne son texte ni par le terme « nouvelle », ni par le mot « roman ». À son sujet, dans une lettre adressée au chevalier Lescheraine, elle écrit : « C'est une parfaite imitation du monde de la cour, et de la manière dont on y vit. Il n'y a rien de romanesque et de grimé ; aussi n'est-ce pas un roman, c'est proprement des Mémoires. » L'autre nom qu'elle emploie pour désigner son œuvre est celui, neutre, d'« histoire ». À quel genre appartient donc *La Princesse de Clèves* ? La réponse est plurielle. Du roman précieux, expérimenté d'ailleurs avec *Zaïde* (1669), Mme de Lafayette garde la règle de l'unité de temps (l'action de *La Princesse de Clèves* se déroule sur une année) et les histoires intercalées (on compte quatre digressions : l'histoire de Diane de Poitiers, p. 64, celles de Mme de Tournon, p. 82, d'Anne de Boulen, p. 103, et des amours du vidame de Chartres, p. 120). De la nouvelle, elle conserve le thème de la galanterie (le mot apparaît à de très nombreuses reprises). Mais le texte peut aussi relever du roman d'apprentissage : les quatre digressions de l'œuvre « contribuent à l'apprentissage sentimental de l'héroïne [1] » et servent à faire ressortir des leçons sur les dangers de l'amour. De plus, la présence d'une mère tutélaire qui veut éduquer sa fille (p. 44) donne lieu à un discours pédagogique destiné à une très jeune fille qui découvre les tourments du cœur (quand elle se marie, Mlle de Chartres est encore dans une « une extrême jeunesse », p. 44). Par ailleurs, par l'importance accordée à la psychologie, et au « récit intérieur [2] », le texte de Mme de Lafayette peut être considéré comme un roman d'analyse. Finalement, le génie de Mme de Lafayette a été de créer un nouveau type de récit, qui fait la synthèse des codes des genres littéraires existants et les sublime, et qui, à n'en pas douter, constitue, comme l'indique l'abbé de Charnes, un modèle « pour ceux qui écrivent des histoires galantes [3] ».

Les désordres de l'amour

Le règne de l'amour

Un thème nodal

À l'article « galanterie » du *Dictionnaire* de Furetière (1690), on trouve : « GALANTERIE, se dit [...] de l'attache qu'on a à courtiser les Dames. Il [le mot « Galanterie »] se prend en bonne & en mauvaise part. » Si l'on se fie à cette définition du XVIIe siècle, *La Princesse de Clèves*, conformément aux codes romanesques de l'époque, regorge d'intrigues galantes. Les personnages ne fonctionnent

---

1. Philippe Sellier, dans sa présentation de *La Princesse de Clèves*, Le Livre de Poche, 1999, p. 23.
2. Jean Fabre, « L'art de l'analyse dans *La Princesse de Clèves* », *Travaux de la faculté des lettres de Strasbourg*, 1945, rééd. Ophrys, 1970.
4. Abbé de Charnes, *Conversations critiques sur La Princesse de Clèves*, 1679.

pas isolément mais en couple (à l'exception de Mme de Chartres). Ainsi, tout le monde est courtisé et/ou aime. Henri II est éperdument amoureux de la duchesse de Valentinois (p. 33), tout comme le roi François Ier l'avait été de Mme d'Étampes (p. 65) ; Mme de Tournon s'est enamourée de Sancerre et d'Estouteville « dans le même temps » (p. 81), tandis que Catherine de Médicis aimerait toucher le cœur du vidame de Chartres (p. 120). Le duc de Nemours, quant à lui, est réputé pour ses conquêtes amoureuses (p. 38). Nul n'échappe aux flèches de Cupidon, même si tous aiment différemment.

L'amour sous toutes ses couleurs

Mme de Lafayette peint en effet une infinie variété d'amours. Madame, sœur du roi, épouse le duc de Savoie par ambition (p. 46) ; Mme de Valentinois ne répugne pas à se donner pour sauver son père (p. 64) ; au contraire, M. de Clèves aime Mlle de Chartres d'un amour pur et désintéressé (p. 54) ; quant au vidame de Chartes, c'est un séducteur volage (p. 121). L'autre singularité du récit réside dans la description minutieuse des symptômes de l'amour, subis mais aussi exprimés par le corps. Ainsi, quand il voit pour la première fois Mlle de Chartres, M. de Clèves ne peut « cacher sa surprise » (p. 45) et la jeune femme elle-même « rougi[t] en voyant l'étonnement qu'elle lui avait donné » (p. 45). Le prince de Clèves meurt d'une « fièvre » d'amour (p. 185) ; de même, le duc de Nemours ne peut « s'empêcher de donner des marques de son admiration » (p. 60) alors que Mme de Clèves est « touchée de la vue de ce prince » (p. 61). Telle la Phèdre de Racine qui « rougi[t] et pâli[t] » à la vue d'Hippolyte, les héros de Mme de Lafayette exhibent toutes les couleurs de l'amour. Ainsi, le récit, conclut Jean Mesnard, est-il une « galerie de portraits d'amoureux et des différents types d'amour[1] ».

---

1. Jean Mesnard, dans sa présentation de *La Princesse de Clèves*, éd. GF-Flammarion, 1980, rééd. 1996, p. 40-56.

Aimer à la mode précieuse ?

N'oublions pas que Mme de Lafayette a été l'une des précieuses les plus réputées de son temps et qu'elle a fréquenté assidûment le salon de la marquise de Rambouillet [1], fameux foyer de la préciosité. Dans ces salons, les réunions suivaient un rituel particulier : le cercle précieux se réunissait dans l'alcôve, c'est-à-dire l'espace de la chambre réservé au lit sur lequel était installée l'hôtesse ; les invités s'asseyaient dans la ruelle (espace situé entre le lit et la cloison) et les conversations prenaient un tour intime ; on y parlait d'amour dans un langage raffiné, refusant les mots licencieux ou simplement directs. Les réminiscences de ces réunions sont nombreuses dans *La Princesse de Clèves*. Les termes « respect », « silence », « secret » ou « admiration », qui y sont récurrents, sont autant de lieux amoureux de la *Carte du Tendre* circulant dans les salons du Grand Siècle [2].

Pour autant, peut-on dire du roman de Mme de Lafayette qu'il fait l'éloge d'une conception précieuse de l'amour, dans laquelle ce sentiment est idéalisé, pur de toute souillure physique et morale et conçu comme éternel ? Mme de Clèves, même éprise du duc de Nemours, se refuse à lui, ne voulant pas « tomber comme les autres femmes » (p. 78) ; dans l'ultime discours qu'elle lui adresse, elle décline sa demande en mariage : elle ne veut pas

---

1. D'origine italienne, la marquise de Rambouillet (1588-1665) épousa Charles d'Angennes (qui prit le nom de marquis de Rambouillet) ; elle tint le premier salon précieux à Paris, dans son hôtel particulier. Ce salon eut une influence déterminante sur l'évolution de la langue française et sur l'histoire de la littérature.
2. La *Carte du Tendre* (ou *de Tendre*, ou *du pays du Tendre*) est une représentation allégorique et topographique définissant un modèle de conduite amoureuse parfaitement en accord avec l'esthétique galante du XVIIe siècle. Depuis la ville d'Amitié nouvelle, l'amant doit effectuer le chemin qui le mène au cœur de sa bien-aimée en évitant de nombreux écueils, comme les mers Dangereuse ou d'Inimitié et le lac d'Indifférence. Cette carte a été collectivement établie par les habitués du salon de Mlle de Scudéry en 1653-1654, avant que cette dernière l'insère dans son roman *Clélie*.

être aliénée par la jalousie et ne peut supporter l'idée qu'il se lasse et la trompe (p. 201). En un sublime effort, elle s'impose une retraite « de[s] plus difficile[s] » (p. 202) qui la privera du bonheur de jouir un jour du corps de son amant... Conformément à l'étymologie du terme « précieux » (« ce qui a du prix »), Mme de Clèves se distingue donc des autres femmes par les efforts qu'elle s'impose pour aimer noblement. Cependant, il serait erroné d'affirmer catégoriquement que le texte de Mme de Lafayette défend les théories précieuses sur l'amour. Si le mariage de Mme de Clèves est un échec, ce n'est pas parce que, à l'image des précieuses, l'héroïne condamne ce genre d'union, mais simplement parce qu'elle n'est pas éprise de son mari.

La dévalorisation de la passion

Le texte paraît en 1678, quand Mme de Lafayette est encore très proche du groupe de Port-Royal, haut lieu du jansénisme qui véhicule une vision pessimiste sur la nature humaine. Cette doctrine s'inspire des écrits de saint Augustin (354-430) et souligne la nature pécheresse de l'homme déchu du paradis originel, incapable de trouver le salut sans la grâce de Dieu [1], et dont le cœur est comme un vilain fond, « creux et plein d'ordure [2] ». L'amour n'est pas envisagé comme une passion susceptible d'élever l'homme et de le mener à la gloire [3], mais comme une force dévastatrice et corruptrice.

---

1. Les jansénistes – qui tiennent leur nom de Jansénius, théologien hollandais (1585-1638), et soutiennent qu'aux seuls élus est promis le paradis – s'opposent aux jésuites, membres de la Compagnie de Jésus fondée en 1540 par Ignace de Loyola, théologien espagnol (1491?-1556). Ces derniers considèrent que Dieu accorde à tous les hommes le salut qu'ils méritent par leurs actions.
2. Blaise Pascal, *Pensées*, 1670, fragment 171, classement Philippe Sellier repris dans GF-Flammarion, coll. « Étonnants Classiques », 2005, p. 78.
3. Cette vision apparaissait par exemple dans *Le Cid* de Corneille (1637), puisque Rodrigue et Chimène voyaient en l'amour le socle d'une émulation héroïque.

La défaite de la raison

Si l'amour est condamné, c'est parce qu'il signe la défaite de la raison. En effet, il est une déferlante, une force irrationnelle qui aliène les esprits et les corps. Mme de Chartres entend mettre en garde sa fille contre tous les dangers et toutes les « extravagances » de la passion (p. 198). Mme de Clèves, alors qu'elle a trouvé calme et équilibre dans son mariage, est totalement déstabilisée par l'amour que lui inspire le duc de Nemours. Quand elle le voit pour la première fois, « touchée de la vue de ce prince » (p. 61), elle ne peut contenir un grand étonnement. Dès lors, sa conduite n'est plus « réglée » (p. 197) car sa volonté est impuissante à tuer sa passion adultère. Si elle sait que le duc est un homme infidèle et volage – son exact opposé, en somme –, alors que M. de Clèves correspond à son tempérament, elle ne peut vaincre son inclination. Comme l'écrivait Mme de Lafayette dans une lettre adressée à Ménage (1691), l'amour est décidément une « chose incommode », qui condamne à souffrir et contrarie le bon sens.

La souffrance et le manque

Comme pour mieux illustrer cette conception, les histoires amoureuses de *La Princesse de Clèves* finissent mal. Aucun amour n'est apaisé ni serein. M. de Clèves aime sans parvenir à se faire aimer, le duc de Nemours délaisse la reine d'Angleterre pour Mme de Clèves, le vidame de Chartres trahit la confiance de la reine... L'amour ne permet donc pas de construire une vie heureuse et laisse l'homme dans l'insatisfaction. Le duc, dont l'esprit est tout occupé par Mme de Clèves, ne parvient pas à la posséder ; M. de Clèves, ivre de jalousie, ne peut se contenter de l'aveu de sa femme et cherche à connaître le nom de son amant (p. 143) ; le vidame de Chartres ne se satisfait pas d'une seule femme et multiplie les conquêtes amoureuses. Conformément à une vision augustinienne de la condition humaine, l'homme est un perpétuel insatisfait, que nul bien ne peut combler.

Mme de Clèves : une héroïne tragique

Face à cette fatalité de l'amour, Mme de Clèves, qui s'avoue vaincue et trop faible pour dominer ses penchants, ploie, elle aussi, mais de manière sublime. Telle une héroïne tragique, elle lutte avec force (elle n'hésite pas à s'exiler pour fuir Nemours) et ne perd pas sa gloire. Elle est différente des autres femmes parce ce qu'elle n'oublie jamais son devoir. Ainsi, quand tous les obstacles à son mariage avec le duc sont levés, elle s'impose une fidélité dans faille, en mémoire de son époux (p. 198). Si elle ne peut tuer l'amour en son cœur, elle sait en revanche rester maîtresse de sa vie, s'imposant une retraite totale et une séparation éternelle d'avec son amant (p. 198). Le sacrifice de soi est entier et la décision radicale : si elle ne meurt pas, Mme de Clèves rejette à jamais le tumulte du monde pour se murer dans la paix de la retraite.

La peinture de la cour

Un roman historique ? un roman à clés ?

Un récit documenté

Dès les premières lignes du texte, Mme de Lafayette situe son récit « dans les dernières années du règne de Henri second » (p. 33), créant ainsi un horizon d'attente précis : celui du roman historique. L'auteur choisit de travailler un genre à la mode – Saint-Réal (1639-1692) triomphe, notamment, en 1672, avec *Don Carlos* – et produit un récit bien informé et minutieusement documenté. Pour cela, elle a effectué de nombreuses recherches sur les événements marquants du règne d'Henri II : elle a lu de nombreux historiens (Mézeray et Matthieu, entre autres) et des mémorialistes (Brantôme), dans le but de rassembler des données exactes et de restituer la vie à la cour dans les années 1558-1559. Quand on lit *La Princesse de Clèves*, nombre de faits historiques exacts se signalent à nous : si l'héroïne et sa mère sont fictives, les autres personnages du roman ont réellement existé (le duc de Nemours, Diane de Poitiers, Catherine de Médicis...) et appartiennent à des grandes familles de l'époque. Les intrigues galantes, les traités conclus, les menaces de guerre, les alliances amoureuses ou militaires relèvent de l'Histoire. Par conséquent, il est possible de lire *La Princesse de Clèves* comme un récit historique, reflet des mœurs d'une cour du temps passé.

La tentation de la transposition

Mais bien des similitudes existent entre les hommes de la cour d'Henri II et ceux de la cour de Louis XIV, à laquelle a brillé Mme de Lafayette. D'ailleurs, les contemporains de l'auteur ont cherché à se reconnaître parmi les personnages du roman, essayant de repérer les éventuelles transpositions du présent dans le passé opérées par Mme de Lafayette. En effet, nombre des familles citées dans *La Princesse de Clèves* ont encore des descendants au XVIIe siècle et les intrigues galantes vont toujours bon train sous le règne du Roi-Soleil. Cependant, Mme de Lafayette n'a pas voulu qu'on lise ainsi son texte ; elle aurait acquiescé aux propos d'un La Bruyère déplorant, dans sa préface des *Caractères* (1688), le désir effréné de produire une lecture à clés[1]. Avec ce roman, il s'agit davantage d'une peinture de mœurs.

---

1. Dans sa préface des *Caractères*, La Bruyère réprouve « ceux qui, se persuadant qu'un auteur écrit seulement pour les amuser par la satire, et point du tout pour les instruire par une saine morale [...], négligent dans un livre tout ce qui n'est que remarques solides ou sérieuses réflexions [...] pour ne s'arrêter qu'aux peintures et qu'aux caractères ; et après les avoir expliqués à leur manière et en avoir cru trouver les originaux, donnent au public de longues listes, ou comme ils les appellent, des clés : fausses clés, [...] qui leur sont aussi inutiles qu'elles sont injurieuses aux personnes dont les noms s'y voient déchiffrés ».

Un roman édifiant ?

Grandeur de la cour : le triomphe de l'honnêteté

Le récit de Mme de Lafayette porte aux nues un modèle sociologique cher au XVIIe siècle : l'honnête homme. Dans *Le Mercure galant* (1678), M. de Clèves est ainsi qualifié de « mari parfaitement honnête homme », tout comme son épouse est une « honnête femme » accomplie. L'honnêteté (le terme vient du latin *honestus*, désignant celui qui se conforme aux lois du devoir, de la vertu) est un concept européen que Montaigne, en France, et Castiglione, en Italie[1], ont contribué à forger. Les théoriciens de l'honnêteté louent une forme de société supérieure, parfaitement raffinée. De nombreuses qualités sont requises pour appartenir à cette élite. Des qualités de corps tout d'abord : le duc de Nemours est ainsi l'homme du monde le « mieux fait et le plus beau » (p. 38), en lequel s'allient prestance, élégance vestimentaire et pratique des divertissements mondains (notamment la danse). Des qualités d'âme ensuite : maîtrise de soi, vertu et modestie. Jusqu'au renoncement final, Mme de Clèves saura endiguer sa passion pour le duc et rester fidèle à son mari. De même, Catherine de Médicis ne témoigne « aucune jalousie » à l'égard de Diane de Poitiers (p. 35), au moins n'en laisse-t-elle rien paraître. Des qualités d'esprit enfin : une conversation agréable, nourrie par une culture étendue, une grande finesse. Mme Élisabeth de France montre un « esprit surprenant » (p. 35) et Marie Stuart est une personne « parfaite pour l'esprit » (p. 36) ; elle manifeste des « dispositions pour toutes les belles choses » et a pris à la cour de France « toute la politesse » (p. 36). *La Princesse de Clèves* contribue ainsi à louer un modèle de conduite, fait de raffinement, d'élégance et de mesure.

---

1. Voir dossier, p. 214.

Misère de la cour : le règne de l'amour-propre

Si tout à la cour ne semble que politesse, calme et sérénité, il ne faut pas s'y tromper : sous ses apparences policées, cet endroit est un monde de faux-semblants, de trompe-l'œil, où pièges et intrigues tentent de faire chuter rivaux et ennemis. Pour plaire au roi et obtenir ses faveurs, nul coup n'est trop bas : Diane de Poitiers, par exemple, pour sauver son père (p. 64), n'a pas hésité à faire commerce de son corps et devenir maîtresse officielle du roi. La sincérité des sentiments est voilée par l'ambition et le désir d'obtenir des places. Si Catherine de Médicis ne manifeste pas de jalousie à l'encontre de Diane de Poitiers, ce n'est pas par charité mais par « politique », pour pouvoir toujours « approcher [...] le roi » (p. 35). Le vidame de Chartres ment à la reine et feint d'accepter sa confiance parce qu'il s'en trouve flatté (p. 120). La « dissimulation » est donc la clé de la réussite. La mère de l'héroïne, esprit lucide et clairvoyant, en bonne éducatrice, démystifie auprès de sa fille les allures fastueuses et vertueuses de la cour : selon elle, l'« ambition et la galanterie [sont] l'âme de cette cour » et l'« amour [est] toujours mêlé aux affaires ». La cour n'est occupée que des « plaisirs ou des intrigues ». Même la parole y est pervertie : sous des aspects polis, elle tend à la médisance et au colportage de rumeurs (p. 49). Finalement, l'homme de cour est peut-être moins honnête homme que courtisan, avide de réussir sur le théâtre du monde. Quelles leçons nous enseigne ce regard démystificateur porté par Mme de Chartres ? Que la vie n'est que vanité, que les plaisirs sont éphémères (Henri II meurt brutalement dans un tournoi), que les amours terrestres sont vouées à être malheureuses... Dès lors, quelle position faut-il adopter ? Se retirer du monde pour en fuir le bruit et la fureur et pour tourner son âme vers Dieu. C'est précisément de cette manière que s'achève le récit de Mme de Lafayette : isolée dans les « grandes terres qu'elle avait vers les Pyrénées », Mme de Clèves s'emploie à des « occupations plus saintes que celles des couvents les plus austères » afin que sa vie laisse des « exemples de vertu inimitables » (p. 208).

Moraliser le lecteur

Dès lors, le texte serait-il un roman édifiant ? Valincour [1] déclare que Mme de Clèves est une « femme incompréhensible » et ne peut concevoir qu'elle refuse finalement d'épouser le duc ; à l'inverse, Fontenelle, dira de l'héroïne qu'elle est « la plus vertueuse femme du monde [2] ». Ces témoignages montrent bien qu'une lecture morale du récit s'impose : la rareté de dates précises, le cadre assez flou de l'intrigue engendrent une intemporalité propre à susciter une réflexion sur les mœurs et les hommes. Ainsi, pour reprendre une analyse de Jean Mesnard [3], on peut affirmer que l'utilisation de l'Histoire remplit une simple « fonction esthétique », en ce qu'elle dessine un univers raffiné, et que la peinture de la cour à l'œuvre dans *La Princesse de Clèves* sert à l'édification du lecteur.

[*Le texte de la présente édition reprend celui de l'édition de Jean Mesnard, GF-Flammarion, 1996, qui suit l'édition originale de 1678. Nous avons choisi de moderniser la typographie en écrivant les titres « roi », « prince », « duc », etc. en minuscules.*]

1. Valincour, *Lettres à la Marquise de* *** *sur La Princesse de Clèves*, 1678.
2. Fontenelle, *Lettre d'un géomètre de Guyenne*, *Le Mercure galant*, mai 1678.
3. Jean Mesnard, dans sa présentation de *La Princesse de Clèves*, éd. cit.

■ *Bal à la cour des Valois* (v. 1580). Musée des Beaux-Arts, Rennes.

CHRONOLOGIE

1634 1693
1634 1693

■ Repères historiques et culturels

■ Vie et œuvre de l'auteur

Repères historiques et culturels

1607–1627	Honoré D'Urfé, *L'Astrée*.
1610	Assassinat d'Henri IV par Ravaillac. Début de la régence de Marie de Médicis au nom de Louis XIII.
1617	Début du règne personnel de Louis XIII.
1624–1642	Richelieu ministre.
1630	Nicolas Faret, *L'Honnête Homme ou l'Art de plaire à la cour*.
1634	Création de l'Académie française.
1637	Corneille, *Le Cid*. Descartes, *Discours de la méthode*.
1642	Mort de Richelieu. Mazarin entre au Conseil du roi.
1643	Mort de Louis XIII. Régence d'Anne d'Autriche au nom de Louis XIV.
1648	Début des troubles de la Fronde – révolte contre le pouvoir royal menée successivement par les parlements (1648-1649) et par les princes (1651-1652).
1649	Mlle de Scudéry : *Artamène ou le Grand Cyrus*, roman précieux (fin de la publication en 1663). Descartes, traité des *Passions de l'âme*.
1651	Paul Scarron, *Le Roman comique*.
1654	Mlle de Scudéry, *Clélie, histoire romaine* (fin de la publication en 1660).
1656	Segrais, *Les Nouvelles françaises ou les Divertissements de la princesse Aurélie*. Blaise Pascal, *Les Provinciales* (défense du jansénisme).

Vie et œuvre de l'auteur

1634   Naissance de Marie-Madeleine de La Vergne à Paris.

1649   Mort du père de Marie-Madeleine de La Vergne.

1650   Remariage de la mère avec Renaud de Sévigné, oncle de
l'épistolière.
Marie-Madeleine de La Vergne est nommée dame d'honneur
de la reine pour ses seize ans.

1655   Mariage avec François de Lafayette. Vie dans le Limousin.

1656   Mort de la mère de Mme de Lafayette.

Repères historiques et culturels

1659 Molière, *Les Précieuses ridicules*.

1661 Mort de Mazarin. Début du règne personnel de Louis XIV.
Disgrâce de Fouquet, accusé de malversations.
Mariage d'Henriette d'Angleterre avec le frère du roi.

1662 Colbert devient contrôleur général des Finances.
Molière, *L'École des femmes*.
Le cardinal de Retz entreprend la rédaction de ses *Mémoires*.

1665 François de La Rochefoucauld, *Maximes*.
Roger Bussy-Rabutin, *Histoire amoureuse des Gaules*.

1666 Fondation de l'Académie des sciences.

1667 Mme de Montespan devient la maîtresse de Louis XIV.

1668 Jean Racine, *Andromaque*.
Jean de La Fontaine, *Fables* (parution des six premiers livres).
Mme de Villedieu, *Carmante*.
Guilleragues, *Lettres d'une religieuse portugaise*.

1670 Blaise Pascal, *Pensées*.
Jean Racine, *Bérénice*.

1672 Saint-Réal, *Don Carlos*, nouvelle historique.
Création du *Mercure galant*.
Début de la guerre de Hollande.

1674 Nicolas Boileau, *Art poétique*.

1675 Mme de Villedieu, *Les Désordres de l'amour*.

1677 Jean Racine, *Phèdre*.

1678 Paix de Nimègue, qui met fin à la guerre de Hollande.

Vie et œuvre de l'auteur

1658   Naissance du premier fils de Mme de Lafayette, Louis.

1659   Naissance de son second fils, René.
Retour à Paris où Mme de Lafayette tient salon.
Elle rédige un court portrait de Mme de Sévigné figurant dans
un ouvrage collectif intitulé *Divers Portraits*.

1662   Mme de Lafayette, avec Ménage, compose *La Princesse
de Montpensier*.
Début d'une brillante carrière à la cour.

1669   Elle écrit *Zaïde*, roman héroïque hispano-mauresque.

1678   Parution de *La Princesse de Clèves*.

Repères historiques et culturels

1680   Mort de La Rochefoucauld.

1685   Révocation de l'édit de Nantes.

1686   Fontenelle, *Entretiens sur la pluralité des mondes*.

1688   Jean de La Bruyère, *Les Caractères*.
Fontenelle, *Digressions sur les Anciens et les Modernes*.
Charles Perrault, *Parallèle des Anciens et des Modernes*.

1693–   Grande famine.
1694

1696   Mme de Sévigné, *Lettres*.

1701–   Guerre de succession d'Espagne.
1713

1715   Mort de Louis XIV. Début de la régence de Philippe
d'Orléans.

Vie et œuvre de l'auteur

1679   Querelle au sujet de *La Princesse de Clèves*.

1680   Retraite de Mme de Lafayette.

1683   Mort du comte de Lafayette.

1689   Parution des *Mémoires de la cour de France pour les années 1688 et 1689*.

1693   Mort de Mme de Lafayette (le 25 mai).

1702   Huet, théoricien du roman, auteur du *Traité de l'origine des romans* (1670) qui servit de préface à *Zaïde*, attribue à Mme de Lafayette les œuvres qu'elle a écrites.

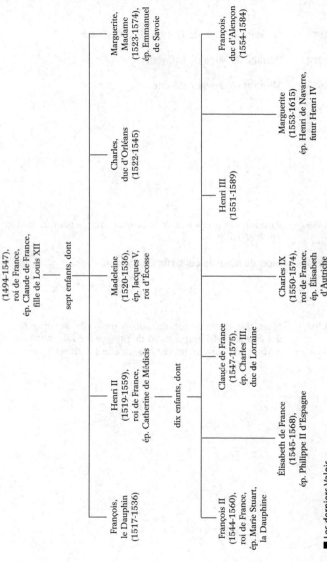

François Iᵉʳ
(1494-1547),
roi de France,
ép. Claude de France,
fille de Louis XII

sept enfants, dont

François, le Dauphin (1517-1536)	Henri II (1519-1559), roi de France, ép. Catherine de Médicis	Madeleine (1520-1536), ép. Jacques V, roi d'Écosse	Charles, duc d'Orléans (1522-1545)	Marguerite, Madame (1523-1574), ép. Emmanuel de Savoie

dix enfants, dont

François II
(1544-1560),
roi de France,
ép. Marie Stuart,
la Dauphine

Élisabeth de France
(1545-1568),
ép. Philippe II d'Espagne

Claude de France
(1547-1575),
ép. Charles III,
duc de Lorraine

Charles IX
(1550-1574),
roi de France,
ép. Élisabeth
d'Autriche

Henri III
(1551-1589)

Marguerite
(1553-1615)
ép. Henri de Navarre,
futur Henri IV

François,
duc d'Alençon
(1554-1584)

■ **Les derniers Valois.**

La Princesse de Clèves

LE LIBRAIRE AU LECTEUR

Quelque approbation qu'ait eue cette histoire dans les lectures qu'on en a faites, l'auteur n'a pu se résoudre à se déclarer ; il a craint que son nom ne diminuât le succès de son livre[1]. Il sait par expérience que l'on condamne quelquefois les ouvrages sur la médiocre opinion qu'on a de l'auteur et il sait aussi que la réputation de l'auteur donne souvent du prix aux ouvrages. Il demeure donc dans l'obscurité où il est, pour laisser les jugements plus libres et plus équitables, et il se montrera néanmoins si cette histoire est aussi agréable au public que je l'espère.

---

1. Mme de Lafayette n'a jamais ouvertement reconnu être l'auteur de *La Princesse de Clèves*. Elle ne l'admettra qu'à demi-mots en 1691, dans une lettre adressée à Ménage. Ce n'est qu'en 1780 que le roman paraîtra pour la première fois avec le nom de Mme de Lafayette.

PREMIÈRE PARTIE

La magnificence[1] et la galanterie[2] n'ont jamais paru en France avec tant d'éclat que dans les dernières années du règne de Henri second[3]. Ce prince était galant, bien fait et amoureux ; quoique sa passion pour Diane de Poitiers, duchesse de Valenti-
5 nois[4], eût commencé il y avait plus de vingt ans, elle n'en était pas moins violente, et il n'en donnait pas des témoignages moins éclatants.

Comme il réussissait admirablement dans tous les exercices du corps, il en faisait une de ses plus grandes occupations. C'était
10 tous les jours des parties de chasse et de paume[5], des ballets, des

---

1. Magnificence : faste, luxe.
2. Galanterie : le mot a plusieurs sens. Il désigne d'abord la distinction, l'élégance dans les manières, puis les intrigues amoureuses.
3. Henri second : Henri II (1519-1559), fils de François Iᵉʳ et de Claude de France. Il épousa Catherine de Médicis en 1533, avec laquelle il eut dix enfants. Roi de 1547 à 1559, il fut mortellement blessé par un coup de lance lors d'un tournoi (voir p. 165).
4. Diane de Poitiers : duchesse de Valentinois (1499-1566), favorite d'Henri II. De dix-neuf ans son aînée, elle influença considérablement sa politique, l'incitant à réprimer le protestantisme en France. Elle l'encouragea aussi à développer une politique culturelle de grande ampleur.
5. Jeu de paume : sport qui consistait à renvoyer, d'abord à la main puis à l'aide d'une raquette, une balle de part et d'autre d'un filet. Ce sport est l'ancêtre du tennis.

courses de bagues [1], ou de semblables divertissements ; les couleurs et les chiffres [2] de Mme de Valentinois paraissaient partout, et elle paraissait elle-même avec tous les ajustements [3] que pouvait avoir Mlle de La Marck, sa petite-fille, qui était alors à marier.

15 La présence de la reine [4] autorisait la sienne. Cette princesse était belle, quoiqu'elle eût passé la première jeunesse ; elle aimait la grandeur, la magnificence et les plaisirs. Le roi l'avait épousée lorsqu'il était encore duc d'Orléans, et qu'il avait pour aîné le dauphin [5], qui mourut à Tournon, prince que sa naissance et ses 20 grandes qualités destinaient à remplir dignement la place du roi François premier [6], son père.

L'humeur ambitieuse de la reine lui faisait trouver une grande douceur à régner ; il semblait qu'elle souffrît [7] sans peine l'at-

---

1. Courses de bagues : jeu qui consistait pour les participants, munis d'une lance et sur un cheval au galop, à enlever des anneaux suspendus à un poteau.
2. Lors des tournois, les participants arboraient les couleurs et les chiffres – c'est-à-dire les lettres initiales entrelacées – de la dame en l'honneur de laquelle ils combattaient. Les couleurs de Diane de Poitiers étaient le noir et le blanc.
3. Ajustements : parures, atours.
4. La reine : il s'agit de Catherine de Médicis (1519-1589), épouse du duc d'Orléans qui devint le roi Henri II en 1547. Nommée régente à l'avènement de son fils Charles IX (qui succédait à son frère aîné François II), en 1560, elle manifesta un sens exceptionnel du politique et un goût prononcé pour le pouvoir. Elle essaya de concilier protestants et catholiques pendant les guerres de Religion puis fut l'instigatrice des massacres de la Saint-Barthélemy en 1572. Elle favorisa les arts à la cour de France en faisant venir de nombreux artistes d'Italie.
5. Le dauphin : François, frère aîné du duc d'Orléans (futur Henri II), fils de François Iᵉʳ et de Claude de France. Il est mort en 1536, sans avoir régné.
6. François Iᵉʳ (1494-1547) : roi de France de 1515 à 1547. Ardent guerrier, fin politique et homme de culture, il reçut à la cour des artistes italiens, tel Léonard de Vinci, pour y introduire le mouvement de la Renaissance. Il fit construire des châteaux, tels Chambord ou Saint-Germain-en-Laye, et, par l'ordonnance de Villers-Cotterêts (1539), imposa le français comme langue officielle du royaume.
7. Qu'elle souffrît : qu'elle supportât.

tachement du roi pour la duchesse de Valentinois, et elle n'en
25 témoignait aucune jalousie ; mais elle avait une si profonde dissimulation qu'il était difficile de juger de ses sentiments, et la
politique l'obligeait d'approcher cette duchesse de sa personne,
afin d'en approcher aussi le roi. Ce prince aimait le commerce [1]
des femmes, même de celles dont il n'était pas amoureux : il
30 demeurait tous les jours chez la reine à l'heure du cercle [2], où tout
ce qu'il y avait de plus beau et de mieux fait de l'un et de l'autre
sexe ne manquait pas de se trouver.

Jamais cour n'a eu tant de belles personnes et d'hommes
admirablement bien faits ; et il semblait que la nature eût pris
35 plaisir à placer ce qu'elle donne de plus beau dans les plus grandes princesses et dans les plus grands princes. Mme Élisabeth
de France [3], qui fut depuis reine d'Espagne, commençait à faire
paraître un esprit surprenant et cette incomparable beauté qui lui
a été si funeste. Marie Stuart [4], reine d'Écosse, qui venait d'épou-
40 ser M. le dauphin, et qu'on appelait la reine dauphine, était une

---

1. Commerce : ici, compagnie, fréquentation.

2. Cercle : société de femmes réunies autour de la reine pour le plaisir de la conversation.

3. Élisabeth de France (1545-1568) : fille aînée d'Henri II et de Catherine de Médicis, elle s'unit à Philippe II, roi d'Espagne (1556-1598), en 1559, et devint reine sous le nom d'Isabelle. D'abord destinée à l'infant Don Carlos, elle dut en épouser le père. Cet amour malheureux a été rapporté par Saint-Réal dans son roman historique *Don Carlos* (1572), qui connut un grand succès à l'époque de Mme de Lafayette. Élisabeth de France mourut prématurément en 1568, soit en couches, soit assassinée par son mari, maladivement jaloux.

4. Marie Stuart (1542-1587) : fille de Marie de Guise et de Jacques V d'Écosse, elle devint reine sept jours après sa naissance. Elle reçut une éducation humaniste en France et épousa François II, futur roi de France, le 24 avril 1558. Veuve en 1560, elle revint en Écosse, où elle dut faire face aux conflits entre protestants et catholiques. Obligée d'abdiquer en 1567, elle fut emprisonnée pendant dix-huit ans. Plusieurs conjurations tentèrent de la faire évader pour la mener sur le trône d'Angleterre. L'échec du dernier complot engendra la condamnation à mort de Marie Stuart.

personne parfaite pour l'esprit et pour le corps ; elle avait été élevée à la cour de France, elle en avait pris toute la politesse, et elle était née avec tant de disposition pour toutes les belles choses que, malgré sa grande jeunesse, elle les aimait et s'y connaissait
45 mieux que personne. La reine sa belle-mère, et Madame [1] sœur du roi, aimaient aussi les vers, la comédie et la musique. Le goût que le roi François premier avait eu pour la poésie et pour les lettres régnait encore en France ; et le roi son fils aimant les exercices du corps, tous les plaisirs étaient à la cour. Mais ce qui rendait
50 cette cour belle et majestueuse était le nombre infini de princes et de grands seigneurs d'un mérite extraordinaire [2]. Ceux que je vais nommer étaient, en des manières différentes, l'ornement et l'admiration de leur siècle.

Le roi de Navarre [3] attirait le respect de tout le monde par la
55 grandeur de son rang et par celle qui paraissait en sa personne. Il excellait dans la guerre, et le duc de Guise [4] lui donnait une émulation [5] qui l'avait porté plusieurs fois à quitter sa place de général, pour aller combattre auprès de lui comme un simple soldat, dans les lieux les plus périlleux. Il est vrai aussi que ce duc
60 avait donné des marques d'une valeur si admirable et avait eu de si heureux succès qu'il n'y avait point de grand capitaine qui ne

---

1. **Madame** : Marguerite de France (1523-1574), duchesse de Savoie, fille de François Ier et de Claude de France, sœur d'Henri II, protectrice des arts.

2. **D'un mérite extraordinaire** : présentant de grandes qualités.

3. **Roi de Navarre** : Antoine de Bourbon (1518-1562) devint roi de Navarre par son mariage avec Jeanne III d'Albret en 1548. De cette union, naquit un fils, le futur Henri IV. Converti au catholicisme, le roi de Navarre prit part aux guerres de Religion, combattit les protestants et fut mortellement blessé au siège de Rouen, où s'étaient retranchées des troupes réformées, en 1562.

4. **Duc de Guise** : surnommé « le Balafré », François Ier de Lorraine (1519-1563), deuxième duc de Guise, s'illustra sur les champs de bataille et comme ardent opposant au protestantisme. Il mourut assassiné au siège d'Orléans, ville protestante. Sa veuve se remaria avec le duc de Nemours.

5. **Émulation** : sentiment qui porte au zèle.

dût le regarder avec envie. Sa valeur était soutenue de toutes les
autres grandes qualités : il avait un esprit vaste et profond, une
âme noble et élevée, et une égale capacité pour la guerre et pour
65 les affaires. Le cardinal de Lorraine [1], son frère, était né avec une
ambition démesurée, avec un esprit vif et une éloquence admirable ; et il avait acquis une science profonde, dont il se servait
pour se rendre considérable en défendant la religion catholique,
qui commençait d'être attaquée. Le chevalier de Guise [2], que l'on
70 appela depuis le Grand Prieur, était un prince aimé de tout le
monde, bien fait, plein d'esprit, plein d'adresse [3], et d'une valeur
célèbre par toute l'Europe. Le prince de Condé [4], dans un petit
corps peu favorisé de la nature, avait une âme grande et hautaine [5], et un esprit qui le rendait aimable aux yeux même des
75 plus belles femmes. Le duc de Nevers [6], dont la vie était glorieuse
par la guerre et par les grands emplois qu'il avait eus, quoique
dans un âge un peu avancé, faisait les délices de la cour. Il avait
trois fils parfaitement bien faits : le second, qu'on appelait le
prince de Clèves, était digne de soutenir la gloire de son nom ;
80 il était brave [7] et magnifique, et il avait une prudence qui ne se

---

1. *Cardinal de Lorraine* : Charles de Lorraine (1525-1574), frère puîné du
duc de Guise (voir note *supra*), cardinal en 1547.

2. *Chevalier de Guise* : François de Lorraine (1534-1563), frère cadet du
duc de Guise (voir note *supra*), qui fut chevalier de Malte, grand prieur de
France et général de galères de France. Il combattit au siège de Metz (voir
note 7, p. 41), à la bataille de Renty (voir note 5, p. 41) et à celle de Rhodes
(voir note 1, p. 112).

3. *Adresse* : habileté.

4. *Prince de Condé* : Louis de Bourbon (1530-1569), chef du parti protes-
tant, il rivalisa avec les Guise. Il fut condamné à mort après la conjuration
d'Amboise (voir note 1, p. 137) puis gracié par François II. Il mourut à la
bataille de Jarnac, dans laquelle il dirigea les huguenots contre l'armée royale
– catholique –, qui fut victorieuse.

5. *Hautaine* : supérieure.

6. *Duc de Nevers* : François de Clèves (1516-1561).

7. *Brave* : élégant, bien mis.

trouve guère avec la jeunesse. Le vidame de Chartres [1], descendu de cette ancienne maison de Vendôme, dont les princes du sang n'ont point dédaigné de porter le nom, était également distingué dans la guerre et dans la galanterie. Il était beau, de bonne mine, vaillant,
85 hardi, libéral [2] ; toutes ces bonnes qualités étaient vives et éclatantes ; enfin, il était seul digne d'être comparé au duc de Nemours [3], si quelqu'un lui eût pu être comparable. Mais ce prince était un chef-d'œuvre de la nature ; ce qu'il avait de moins admirable c'était d'être l'homme du monde le mieux fait et le plus beau. Ce qui le
90 mettait au-dessus des autres était une valeur incomparable, et un agrément [4] dans son esprit, dans son visage et dans ses actions, que l'on n'a jamais vu qu'à lui seul ; il avait un enjouement [5] qui plaisait également aux hommes et aux femmes, une adresse extraordinaire dans tous ses exercices, une manière de s'habiller qui était toujours
95 suivie de tout le monde, sans pouvoir être imitée, et enfin un air dans toute sa personne qui faisait qu'on ne pouvait regarder que lui dans tous les lieux où il paraissait. Il n'y avait aucune dame dans la cour, dont la gloire n'eût été flattée de le voir attaché à elle ; peu de celles à qui il s'était attaché se pouvaient vanter de
100 lui avoir résisté, et même plusieurs à qui il n'avait point témoigné de passion n'avaient pas laissé d'en avoir pour lui. Il avait tant de douceur et tant de disposition à la galanterie qu'il ne pouvait refuser quelques soins [6] à celles qui tâchaient de lui plaire : ainsi il avait plusieurs maîtresses, mais il était difficile de deviner celle
105 qu'il aimait véritablement. Il allait souvent chez la reine dauphine ; la beauté de cette princesse, sa douceur, le soin qu'elle avait de

---

1. Vidame de Chartres : François de Vendôme (1522-1562). Dans l'Ancien Régime, un «vidame» était le représentant d'une abbaye ou d'un évêché chargé de l'administration des affaires temporelles.

2. Libéral : généreux.

3. Duc de Nemours : Jacques de Savoie (1531-1585).

4. Agrément : charme, grâce.

5. Enjouement : entrain, gaieté.

6. Soins : témoignages amoureux.

plaire à tout le monde et l'estime particulière qu'elle témoignait à ce prince, avaient souvent donné lieu de croire qu'il levait les yeux jusqu'à elle. MM. de Guise, dont elle était nièce, avaient beaucoup augmenté leur crédit et leur considération [1] par son mariage ; leur ambition les faisait aspirer à s'égaler aux princes du sang et à partager le pouvoir du connétable de Montmorency [2]. Le roi se reposait sur lui de la plus grande partie du gouvernement des affaires et traitait le duc de Guise et le maréchal de Saint-André [3] comme ses favoris. Mais ceux que la faveur ou les affaires approchaient de sa personne ne s'y pouvaient maintenir qu'en se soumettant à la duchesse de Valentinois, et, quoiqu'elle n'eût plus de jeunesse ni de beauté, elle le gouvernait avec un empire si absolu que l'on peut dire qu'elle était maîtresse de sa personne et de l'État.

Le roi avait toujours aimé le connétable, et sitôt qu'il avait commencé à régner, il l'avait rappelé de l'exil où le roi François premier l'avait envoyé. La cour était partagée entre messieurs de Guise et le connétable, qui était soutenu des princes du sang. L'un et l'autre partis avaient toujours songé à gagner la duchesse de Valentinois. Le duc d'Aumale, frère du duc de Guise, avait épousé une de ses filles ; le connétable aspirait à la même alliance. Il ne se contentait pas d'avoir marié son fils aîné avec Mme Diane, fille du roi et d'une dame de Piémont, qui se fit religieuse aussitôt qu'elle fut accouchée. Ce mariage avait eu beaucoup d'obstacles, par les promesses que M. de Montmorency avait faites à Mlle de Piennes, une des filles d'honneur [4] de la reine ; et, bien que le

---

1. Considération : estime.
2. Duc de Montmorency (1493-1567) : il fut connétable de France, c'est-à-dire commandant suprême de l'armée royale.
3. Maréchal de Saint-André (1512-1562) : allié au duc de Guise et au connétable de Montmorency, il fut l'un des principaux chefs catholiques des guerres de Religion.
4. Filles d'honneur : demoiselles de compagnie. À seize ans, la future Mme de Lafayette fut elle-même nommée fille d'honneur de la reine Anne d'Autriche (voir chronologie, p. 25).

roi les eût surmontés avec une patience et une bonté extrême, ce
connétable ne se trouvait pas encore assez appuyé s'il ne s'assurait de Mme de Valentinois, et s'il ne la séparait de messieurs de
135 Guise, dont la grandeur commençait à donner de l'inquiétude à
cette duchesse. Elle avait retardé autant qu'elle avait pu le mariage
du dauphin avec la reine d'Écosse : la beauté et l'esprit capable et
avancé de cette jeune reine, et l'élévation que ce mariage donnait à
messieurs de Guise, lui étaient insupportables. Elle haïssait parti-
140 culièrement le cardinal de Lorraine ; il lui avait parlé avec aigreur,
et même avec mépris. Elle voyait qu'il prenait des liaisons avec
la reine ; de sorte que le connétable la trouva disposée à s'unir
avec lui, et à entrer dans son alliance par le mariage de Mlle de
La Marck, sa petite-fille, avec M. d'Anville, son second fils, qui
145 succéda depuis à sa charge sous le règne de Charles IX. Le connétable ne crut pas trouver d'obstacles dans l'esprit de M. d'Anville
pour un mariage, comme il en avait trouvé dans l'esprit de M. de
Montmorency [1] ; mais, quoique les raisons lui en fussent cachées,
les difficultés n'en furent guère moindres. M. d'Anville était éper-
150 dument amoureux de la reine dauphine et, quelque peu d'espérance qu'il eût dans cette passion, il ne pouvait se résoudre à
prendre un engagement qui partagerait ses soins. Le maréchal de
Saint-André était le seul dans la cour qui n'eût point pris de parti.
Il était un des favoris, et sa faveur ne tenait qu'à sa personne :
155 le roi l'avait aimé dès le temps qu'il était dauphin ; et depuis, il
l'avait fait maréchal de France, dans un âge où l'on n'a pas encore
accoutumé de prétendre aux moindres dignités. Sa faveur lui donnait un éclat qu'il soutenait par son mérite et par l'agrément de
sa personne, par une grande délicatesse pour sa table et pour ses
160 meubles et par la plus grande magnificence qu'on eût jamais vue

---

1. *Monsieur de Montmorency* (1530-1579) : fils aîné du connétable ; il
fut marié contre son gré à Diane de France, fille illégitime d'Henri II, en
1557, alors qu'il avait déjà contracté secrètement un premier mariage avec
Mlle de Piennes.

en un particulier. La libéralité[1] du roi fournissait à cette dépense ; ce prince allait jusqu'à la prodigalité[2] pour ceux qu'il aimait ; il n'avait pas toutes les grandes qualités, mais il en avait plusieurs, et surtout celle d'aimer la guerre et de l'entendre[3] ; aussi avait-il eu
165 d'heureux succès et si on en excepte la bataille de Saint-Quentin[4], son règne n'avait été qu'une suite de victoires. Il avait gagné en personne la bataille de Renty[5] ; le Piémont avait été conquis ; les Anglais avaient été chassés de France, et l'empereur Charles Quint[6] avait vu finir sa bonne fortune devant la ville de Metz[7],
170 qu'il avait assiégée inutilement avec toutes les forces de l'Empire et de l'Espagne. Néanmoins, comme le malheur de Saint-Quentin avait diminué l'espérance de nos conquêtes, et que, depuis, la fortune avait semblé se partager entre les deux rois, ils se trouvèrent insensiblement disposés à la paix.

175 La duchesse douairière de Lorraine avait commencé à en faire des propositions dans le temps du mariage de M. le dauphin ; il y avait toujours eu depuis quelque négociation secrète. Enfin, Cercamp, dans le pays d'Artois, fut choisi pour le lieu où l'on devait s'assembler. Le cardinal de Lorraine, le connétable de
180 Montmorency et le maréchal de Saint-André s'y trouvèrent pour

---

1. *Libéralité* : générosité.

2. *Prodigalité* : générosité presque excessive.

3. *Entendre* : comprendre.

4. *Bataille de Saint-Quentin* : défaite de la France (10 août 1557) contre les Espagnols qui lui avaient déclaré la guerre en janvier 1557.

5. *Bataille de Renty* : victoire française (13 août 1554) contre l'armée impériale de Charles Quint.

6. *Charles Quint* (1500-1558) : empereur germanique (1519-1556), roi d'Espagne sous le nom de Charles Iᵉʳ (1516-1556) et roi de Sicile sous le nom de Charles IV (1516-1556). Rival de François Iᵉʳ qui avait brigué la couronne impériale, il mena trois guerres contre lui (1521-1529, 1536-1538 et 1539-1544) ; Charles Quint, et après lui son fils Philippe II, poursuivit son offensive contre la France sous Henri II.

7. Victoire française le 13 octobre 1552.

le roi ; le duc d'Albe et le prince d'Orange [1], pour Philippe II [2] ;
et le duc et la duchesse de Lorraine furent les médiateurs. Les
principaux articles étaient le mariage de Mme Élisabeth de France
avec Don Carlos, infant d'Espagne [3], et celui de Madame sœur
185 du roi avec M. de Savoie.

Le roi demeura cependant sur la frontière et il y reçut la
nouvelle de la mort de Marie, reine d'Angleterre [4]. Il envoya le
comte de Randan [5] à Élisabeth [6], pour la complimenter sur son
avènement à la couronne ; elle le reçut avec joie. Ses droits étaient
190 si mal établis qu'il lui était avantageux de se voir reconnue par
le roi. Ce comte la trouva instruite des intérêts de la cour de
France et du mérite de ceux qui la composaient ; mais surtout il
la trouva si remplie de la réputation du duc de Nemours, elle lui

---

1. Malgré sa victoire à Saint-Quentin, le roi espagnol Philippe II (voir note
infra) envoya le duc d'Albe (1507-1582) et Guillaume d'Orange (1531-1618)
négocier la paix avec les Français. Celle-ci fut signée à Cateau-Cambrésis le
3 avril 1559. Elle mettait fin aux guerres d'Italie. Par ce traité, la France
conservait Metz, Verdun et Toul, mais perdait la Savoie et les grandes villes du
Piémont. Plusieurs mariages furent conclus à cette occasion : le duc de Savoie
s'unissait à Marguerite, sœur d'Henri II ; et Philippe II épousait Élisabeth
de France.
2. *Philippe II* (1527-1598) : fils de Charles Quint, il épousa Marie Tudor,
reine d'Angleterre, en 1554, avant de s'unir à Élisabeth de France, en 1559.
À l'abdication de Charles Quint, il hérita de la couronne d'Espagne (1556)
et reprit la guerre menée par son père contre la France.
3. Voir note 3, p. 35.
4. *Marie, reine d'Angleterre* : il s'agit de Marie Tudor (1516-1558), fille
d'Henri VIII et de Catherine d'Aragon. Adversaire de la Réforme, elle persécuta
les protestants. Elle fut haïe d'Anne Boleyn (Anne de Boulen dans le roman
de Mme de Lafayette), deuxième femme d'Henri VIII pour laquelle le roi avait
répudié Catherine d'Aragon. Elle expira le 17 novembre 1558. La campagne
militaire qu'elle avait entreprise contre la France, et qui se solda par la perte de
Calais (1558), lui valut d'être très impopulaire au moment de sa mort.
5. *Comte de Randan* : Charles de La Rochefoucauld (1523-1562).
6. *Élisabeth Ire* (1533-1608) : fille d'Henri VIII et d'Anne Boleyn (voir ci-
dessus note 4), elle accéda au trône d'Angleterre après la mort de sa demi-
sœur Marie Tudor, en 1558.

parla tant de fois de ce prince, et avec tant d'empressement que,
195 quand M. de Randan fut revenu, et qu'il rendit compte au roi de
son voyage, il lui dit qu'il n'y avait rien que M. de Nemours ne
pût prétendre auprès de cette princesse, et qu'il ne doutait point
qu'elle ne fût capable de l'épouser. Le roi en parla à ce prince
dès le soir même ; il lui fit conter par M. de Randan toutes ses
200 conversations avec Élisabeth et lui conseilla de tenter cette grande
fortune. M. de Nemours crut d'abord que le roi ne lui parlait pas
sérieusement, mais comme il vit le contraire :

«Au moins, Sire, lui dit-il, si je m'embarque dans une entreprise chimérique par le conseil et pour le service de Votre Majesté,
205 je la supplie de me garder le secret jusqu'à ce que le succès me
justifie vers le public, et de vouloir bien ne me pas faire paraître
rempli d'une assez grande vanité pour prétendre qu'une reine qui
ne m'a jamais vu, me veuille épouser par amour.»

Le roi lui promit de ne parler qu'au connétable de ce dessein,
210 et il jugea même le secret nécessaire pour le succès. M. de Randan
conseillait à M. de Nemours d'aller en Angleterre sur le simple
prétexte de voyager, mais ce prince ne put s'y résoudre. Il envoya
Lignerolles, qui était un jeune homme d'esprit, son favori, pour
voir les sentiments de la reine, et pour tâcher de commencer
215 quelque liaison [1]. En attendant l'événement [2] de ce voyage, il alla
voir le duc de Savoie, qui était alors à Bruxelles avec le roi
d'Espagne. La mort de Marie d'Angleterre apporta de grands obstacles à la paix [3] ; l'assemblée se rompit à la fin de novembre, et
le roi revint à Paris.

220 Il parut alors une beauté à la cour, qui attira les yeux de tout
le monde, et l'on doit croire que c'était une beauté parfaite,
puisqu'elle donna de l'admiration dans un lieu où l'on était si
accoutumé à voir de belles personnes. Elle était de la même mai-

---

1. *Liaison* : relation.
2. *Événement* : issue.
3. Un an avant de mourir, Marie Tudor avait déclaré la guerre à la France
(voir note 4, p. 42).

son que le vidame de Chartres et une des plus grandes héritières
de France[1]. Son père était mort jeune, et l'avait laissée sous la
conduite de Mme de Chartres, sa femme, dont le bien, la vertu
et le mérite étaient extraordinaires. Après avoir perdu son mari,
elle avait passé plusieurs années sans revenir à la cour. Pendant
cette absence, elle avait donné ses soins à l'éducation de sa fille ;
mais elle ne travailla pas seulement à cultiver son esprit et sa
beauté, elle songea aussi à lui donner de la vertu et à la lui rendre
aimable. La plupart des mères s'imaginent qu'il suffit de ne parler jamais de galanterie devant les jeunes personnes pour les en
éloigner. Mme de Chartres avait une opinion opposée ; elle faisait
souvent à sa fille des peintures de l'amour ; elle lui montrait ce
qu'il a d'agréable pour la persuader plus aisément sur ce qu'elle
lui en apprenait de dangereux ; elle lui contait le peu de sincérité des hommes, leurs tromperies et leur infidélité, les malheurs
domestiques[2] où plongent les engagements[3] ; et elle lui faisait
voir, d'un autre côté, quelle tranquillité suivait la vie d'une honnête femme[4], et combien la vertu donnait d'éclat et d'élévation
à une personne qui avait de la beauté et de la naissance. Mais
elle lui faisait voir aussi combien il était difficile de conserver
cette vertu, que par une extrême défiance de soi-même et par un
grand soin de s'attacher à ce qui seul peut faire le bonheur d'une
femme, qui est d'aimer son mari et d'en être aimée.

Cette héritière était alors un des grands partis qu'il y eût en
France ; et quoiqu'elle fût dans une extrême jeunesse, l'on avait
déjà proposé plusieurs mariages. Mme de Chartres, qui était
extrêmement glorieuse[5], ne trouvait presque rien digne de sa
fille ; la voyant dans sa seizième année, elle voulut la mener à

---

1. Mlle de Chartres est un personnage inventé par Mme de Lafayette. Sa mère
aussi.

2. *Domestiques* : ici, conjugaux.

3. *Engagements* : aventures amoureuses.

4. Sur l'«honnêteté», voir présentation, p. 19, et dossier, p. 214.

5. *Glorieuse* : fière, orgueilleuse.

la cour. Lorsqu'elle arriva, le vidame alla au-devant d'elle. Il fut surpris de la grande beauté de Mlle de Chartres, et il en fut surpris avec raison. La blancheur de son teint et ses cheveux blonds
255 lui donnaient un éclat que l'on n'a jamais vu qu'à elle ; tous ses traits étaient réguliers, et son visage et sa personne étaient pleins de grâce et de charmes.

Le lendemain qu'elle fut arrivée, elle alla pour assortir des pierreries chez un Italien qui en trafiquait par tout le monde.
260 Cet homme était venu de Florence avec la reine, et s'était tellement enrichi dans son trafic que sa maison paraissait plutôt celle d'un grand seigneur que d'un marchand. Comme elle y était, le prince de Clèves y arriva. Il fut tellement surpris de sa beauté qu'il ne put cacher sa surprise ; et Mlle de Chartres ne put s'empêcher
265 de rougir en voyant l'étonnement qu'elle lui avait donné. Elle se remit néanmoins, sans témoigner d'autre attention aux actions de ce prince que celle que la civilité[1] lui devait donner pour un homme tel qu'il paraissait. M. de Clèves la regardait avec admiration, et il ne pouvait comprendre qui était cette belle personne
270 qu'il ne connaissait point. Il voyait bien par son air, et par tout ce qui était à sa suite, qu'elle devait être d'une grande qualité. Sa jeunesse lui faisait croire que c'était une fille[2], mais, ne lui voyant point de mère, et l'Italien qui ne la connaissait point l'appelant Madame, il ne savait que penser, et il la regardait toujours avec
275 étonnement. Il s'aperçut que ses regards l'embarrassaient, contre l'ordinaire des jeunes personnes, qui voient toujours avec plaisir l'effet de leur beauté. Il lui parut même qu'il était cause qu'elle avait de l'impatience de s'en aller, et en effet elle sortit assez promptement. M. de Clèves se consola de la perdre de vue, dans
280 l'espérance de savoir qui elle était ; mais il fut bien surpris quand il sut qu'on ne la connaissait point. Il demeura si touché de sa beauté et de l'air modeste qu'il avait remarqué dans ses actions

---

1. *Civilité* : politesse, bonnes manières.
2. *Fille* : par opposition à femme mariée.

qu'on peut dire qu'il conçut pour elle dès ce moment une passion et une estime extraordinaires. Il alla le soir chez Madame sœur
285 du roi.

Cette princesse était dans une grande considération par le crédit qu'elle avait sur le roi son frère; et ce crédit était si grand que le roi, en faisant la paix, consentait à rendre le Piémont pour lui faire épouser le duc de Savoie. Quoiqu'elle eût désiré toute sa vie
290 de se marier, elle n'avait jamais voulu épouser qu'un souverain, et elle avait refusé pour cette raison le roi de Navarre lorsqu'il était duc de Vendôme, et avait toujours souhaité M. de Savoie; elle avait conservé de l'inclination pour lui depuis qu'elle l'avait vu à Nice à l'entrevue du roi François premier et du pape Paul troi-
295 sième [1]. Comme elle avait beaucoup d'esprit et un grand discernement pour les belles choses, elle attirait tous les honnêtes gens, et il y avait de certaines heures où toute la cour était chez elle.

M. de Clèves y vint à son ordinaire; il était si rempli de l'esprit et de la beauté de Mlle de Chartres qu'il ne pouvait parler
300 d'autre chose. Il conta tout haut son aventure, et ne pouvait se lasser de donner des louanges à cette personne qu'il avait vue, qu'il ne connaissait point. Madame lui dit qu'il n'y avait point de personne comme celle qu'il dépeignait et que, s'il y en avait quelqu'une, elle serait connue de tout le monde. Mme de Dampierre,
305 qui était sa dame d'honneur et amie de Mme de Chartres, entendant cette conversation, s'approcha de cette princesse et lui dit tout bas que c'était sans doute Mlle de Chartres que M. de Clèves avait vue. Madame se retourna vers lui et lui dit que, s'il voulait revenir chez elle le lendemain, elle lui ferait voir cette beauté dont
310 il était si touché. Mlle de Chartres parut en effet le jour suivant; elle fut reçue des reines avec tous les agréments qu'on peut s'imaginer, et avec une telle admiration de tout le monde qu'elle n'entendait autour d'elle que des louanges. Elle les recevait avec une modestie si noble qu'il ne semblait pas qu'elle les entendît, ou

---

1. Cette entrevue a eu lieu en juin 1538.

315 du moins qu'elle en fût touchée. Elle alla ensuite chez Madame
sœur du roi. Cette princesse, après avoir loué sa beauté, lui conta
l'étonnement qu'elle avait donné à M. de Clèves. Ce prince entra
un moment après.

«Venez, lui dit-elle, voyez si je ne vous tiens pas ma parole et
320 si, en vous montrant Mlle de Chartres, je ne vous fais pas voir
cette beauté que vous cherchiez ; remerciez-moi au moins de lui
avoir appris l'admiration que vous aviez déjà pour elle.»

M. de Clèves sentit de la joie de voir que cette personne qu'il
avait trouvée si aimable était d'une qualité proportionnée à sa
325 beauté. Il s'approcha d'elle et il la supplia de se souvenir qu'il
avait été le premier à l'admirer et que, sans la connaître, il avait
eu pour elle tous les sentiments de respect et d'estime qui lui
étaient dus.

Le chevalier de Guise et lui, qui étaient amis, sortirent ensemble
330 de chez Madame. Ils louèrent d'abord [1] Mlle de Chartres sans se
contraindre. Ils trouvèrent enfin qu'ils la louaient trop, et ils ces-
sèrent l'un et l'autre de dire ce qu'ils en pensaient ; mais ils furent
contraints d'en parler les jours suivants partout où ils se rencon-
trèrent. Cette nouvelle beauté fut longtemps le sujet de toutes
335 les conversations. La reine lui donna de grandes louanges et eut
pour elle une considération extraordinaire. La reine dauphine en
fit une de ses favorites, et pria Mme de Chartres de la mener
souvent chez elle. Mesdames filles du roi l'envoyaient chercher
pour être de tous leurs divertissements. Enfin, elle était aimée et
340 admirée de toute la cour, excepté de Mme de Valentinois. Ce n'est
pas que cette beauté lui donnât de l'ombrage : une trop longue
expérience lui avait appris qu'elle n'avait rien à craindre auprès
du roi ; mais elle avait tant de haine pour le vidame de Chartres,
qu'elle avait souhaité [2] d'attacher [3] à elle par le mariage d'une de

---

1. *D'abord* : aussitôt.
2. Le verbe «souhaiter» est employé en construction indirecte dans la langue
classique («souhaiter de»).
3. *Attacher* : unir par un sentiment ou par un lien moral, contractuel.

345 ses filles, et qui s'était attaché à la reine, qu'elle ne pouvait regarder favorablement une personne qui portait son nom et pour qui
il faisait paraître une grande amitié.

Le prince de Clèves devint passionnément amoureux de Mlle de
Chartres et souhaitait ardemment de l'épouser ; mais il craignait
350 que l'orgueil de Mme de Chartres ne fût blessé de donner sa fille
à un homme qui n'était pas l'aîné de sa maison. Cependant cette
maison était si grande, et le comte d'Eu, qui en était l'aîné, venait
d'épouser une personne si proche de la maison royale que c'était
plutôt la timidité que donne l'amour que de véritables raisons qui
355 causaient les craintes de M. de Clèves. Il avait un grand nombre de
rivaux ; le chevalier de Guise lui paraissait le plus redoutable par
sa naissance, par son mérite et par l'éclat que la faveur donnait à
sa maison. Ce prince était devenu amoureux de Mlle de Chartres
le premier jour qu'il l'avait vue. Il s'était aperçu de la passion de
360 M. de Clèves, comme M. de Clèves s'était aperçu de la sienne.
Quoiqu'ils fussent amis, l'éloignement que donnent les mêmes
prétentions ne leur avait pas permis de s'expliquer ensemble ;
et leur amitié s'était refroidie sans qu'ils eussent eu la force de
s'éclaircir. L'aventure qui était arrivée à M. de Clèves, d'avoir vu
365 le premier Mlle de Chartres, lui paraissait un heureux présage et
semblait lui donner quelque avantage sur ses rivaux ; mais il prévoyait de grands obstacles par le duc de Nevers, son père. Ce duc
avait d'étroites liaisons avec la duchesse de Valentinois : elle était
ennemie du vidame, et cette raison était suffisante pour empêcher
370 le duc de Nevers de consentir que son fils pensât à sa nièce.

Mme de Chartres, qui avait eu tant d'application pour inspirer la vertu à sa fille, ne discontinua pas de prendre les mêmes
soins dans un lieu où ils étaient si nécessaires et où il y avait
tant d'exemples si dangereux. L'ambition et la galanterie étaient
375 l'âme de cette cour, et occupaient également les hommes et les
femmes. Il y avait tant d'intérêts et tant de cabales [1] différentes, et

---

1. *Cabales* : complots, intrigues.

les dames y avaient tant de part que l'amour était toujours mêlé aux affaires et les affaires à l'amour. Personne n'était tranquille, ni indifférent ; on songeait à s'élever, à plaire, à servir ou à nuire ; on ne connaissait ni l'ennui, ni l'oisiveté, et on était toujours occupé des plaisirs ou des intrigues. Les dames avaient des attachements particuliers pour la reine, pour la reine dauphine, pour la reine de Navarre [1], pour Madame sœur du roi, ou pour la duchesse de Valentinois. Les inclinations, les raisons de bienséance [2], ou le rapport d'humeur faisaient ces différents attachements. Celles qui avaient passé la première jeunesse et qui faisaient profession d'une vertu plus austère, étaient attachées à la reine. Celles qui étaient plus jeunes, et qui cherchaient la joie et la galanterie, faisaient leur cour à la reine dauphine. La reine de Navarre avait ses favorites ; elle était jeune et elle avait du pouvoir sur le roi son mari : il était joint au connétable, et avait par là beaucoup de crédit. Madame sœur du roi conservait encore de la beauté et attirait plusieurs dames auprès d'elle. La duchesse de Valentinois avait toutes celles qu'elle daignait regarder ; mais peu de femmes lui étaient agréables ; et excepté quelques-unes qui avaient sa familiarité et sa confiance, et dont l'humeur avait du rapport avec la sienne, elle n'en recevait chez elle que les jours où elle prenait plaisir à avoir une cour comme celle de la reine.

Toutes ces différentes cabales avaient de l'émulation et de l'envie les unes contre les autres. Les dames qui les composaient avaient aussi de la jalousie entre elles, ou pour la faveur [3], ou pour les amants ; les intérêts de grandeur et d'élévation se trouvaient souvent joints à ces autres intérêts moins importants, mais qui n'étaient pas moins sensibles. Ainsi il y avait une sorte d'agitation sans désordre dans cette cour, qui la rendait très agréable, mais

---

1. *Reine de Navarre* : Jeanne III d'Albret (1528-1572), mère du futur Henri IV (voir aussi note 3, p. 36).
2. *Bienséance* : bonnes manières.
3. *Pour la faveur* : pour être bien reçues à la cour, pour être dans les bonnes grâces des puissants.

aussi très dangereuse pour une jeune personne. Mme de Chartres voyait ce péril et ne songeait qu'aux moyens d'en garantir [1] sa fille. Elle la pria, non pas comme sa mère, mais comme son amie, de lui faire confidence de toutes les galanteries [2] qu'on lui dirait, et elle lui promit de lui aider à [3] se conduire dans des choses où l'on était souvent embarrassée quand on était jeune.

Le chevalier de Guise fit tellement paraître les sentiments et les desseins qu'il avait pour Mlle de Chartres qu'ils ne furent ignorés de personne. Il ne voyait néanmoins que de l'impossibilité dans ce qu'il désirait ; il savait bien qu'il n'était point un parti qui convînt à Mlle de Chartres, par le peu de biens qu'il avait pour soutenir son rang ; et il savait bien aussi que ses frères n'approuveraient pas qu'il se mariât, par la crainte de l'abaissement que les mariages des cadets apportent d'ordinaire dans les grandes maisons [4]. Le cardinal de Lorraine lui fit bientôt voir qu'il ne se trompait pas ; il condamna l'attachement qu'il témoignait pour Mlle de Chartres avec une chaleur [5] extraordinaire ; mais il ne lui en dit pas les véritables raisons. Ce cardinal avait une haine pour le vidame, qui était secrète alors, et qui éclata depuis. Il eût plutôt consenti à voir son frère entrer dans toute autre alliance que dans celle de ce vidame ; et il déclara si publiquement combien il en était éloigné, que Mme de Chartres en fut sensiblement offensée. Elle prit de grands soins de faire voir que le cardinal de Lorraine n'avait rien à craindre, et qu'elle ne songeait pas à ce mariage. Le vidame prit la même conduite et sentit [6], encore plus que Mme de Chartres, celle du cardinal de Lorraine, parce qu'il en savait mieux la cause.

---

1. *Garantir* : préserver.
2. *Galanteries* : ici, paroles galantes, destinées à séduire.
3. Le verbe «aider» peut encore se construire avec un complément indirect au XVIIᵉ siècle.
4. Les cadets sont sans titre ni fortune ; ils ne peuvent prétendre à un beau mariage et, s'ils se marient, ils aggravent la division du patrimoine.
5. *Chaleur* : ardeur.
6. *Sentit* : comprit.

Le prince de Clèves n'avait pas donné des marques moins publiques de sa passion qu'avait fait le chevalier de Guise. Le duc de Nevers apprit cet attachement avec chagrin. Il crut néan-
435 moins qu'il n'avait qu'à parler à son fils pour le faire changer de conduite; mais il fut bien surpris de trouver en lui le dessein formé d'épouser Mlle de Chartres. Il blâma ce dessein, il s'emporta et cacha si peu son emportement que le sujet s'en répandit bientôt à la cour et alla jusqu'à Mme de Chartres. Elle n'avait pas
440 mis en doute que M. de Nevers ne regardât le mariage de sa fille comme un avantage pour son fils; elle fut bien étonnée que la maison de Clèves et celle de Guise craignissent son alliance, au lieu de la souhaiter. Le dépit qu'elle eut lui fit penser à trouver un parti pour sa fille qui la mît au-dessus de ceux qui se croyaient
445 au-dessus d'elle. Après avoir tout examiné, elle s'arrêta au prince dauphin, fils du duc de Montpensier[1]. Il était lors[2] à marier, et c'était ce qu'il y avait de plus grand à la cour. Comme Mme de Chartres avait beaucoup d'esprit, qu'elle était aidée du vidame qui était dans une grande considération, et qu'en effet sa
450 fille était un parti considérable, elle agit avec tant d'adresse et tant de succès que M. de Montpensier parut souhaiter ce mariage, et il semblait qu'il ne s'y pouvait trouver de difficultés.

Le vidame, qui savait l'attachement de M. d'Anville pour la reine dauphine, crut néanmoins qu'il fallait employer le pouvoir
455 que cette princesse avait sur lui pour l'engager à servir Mlle de Chartres auprès du roi et auprès du prince de Montpensier, dont il était ami intime. Il en parla à cette reine, et elle entra avec joie dans une affaire où il s'agissait de l'élévation d'une personne qu'elle aimait beaucoup; elle le témoigna au vidame, et l'assura
460 que, quoiqu'elle sût bien qu'elle ferait une chose désagréable au

---

1. *Duc de Montpensier* (1542-1592) : il est appelé «dauphin» car il est détenteur du dauphiné d'Auvergne. Il se maria avec Mlle de Mézières en 1566. Il est, avec son épouse, au cœur de la nouvelle *La Princesse de Montpensier* de Mme de Lafayette.
2. *Lors* : alors.

cardinal de Lorraine son oncle, elle passerait avec joie par-dessus cette considération, parce qu'elle avait sujet de se plaindre de lui et qu'il prenait tous les jours les intérêts de la reine contre les siens propres.

465   Les personnes galantes sont toujours bien aises qu'un prétexte leur donne lieu de parler à ceux qui les aiment. Sitôt que le vidame eut quitté Mme la dauphine, elle ordonna à Chastelart [1], qui était favori de M. d'Anville, et qui savait la passion qu'il avait pour elle, de lui aller dire de sa part de se trouver le soir chez
470 la reine. Chastelart reçut cette commission avec beaucoup de joie et de respect. Ce gentilhomme était d'une bonne maison de Dauphiné ; mais son mérite et son esprit le mettaient au-dessus de sa naissance. Il était reçu et bien traité de tout ce qu'il y avait de grands seigneurs à la cour, et la faveur de la maison de
475 Montmorency l'avait particulièrement attaché à M. d'Anville ; il était bien fait de sa personne, adroit à toutes sortes d'exercices ; il chantait agréablement, il faisait des vers, et avait un esprit galant et passionné qui plut si fort à M. d'Anville, qu'il le fit confident de l'amour qu'il avait pour la reine dauphine. Cette confidence
480 l'approchait de cette princesse, et ce fut en la voyant souvent qu'il prit le commencement de cette malheureuse passion qui lui ôta la raison et qui lui coûta enfin la vie.

    M. d'Anville ne manqua pas d'être le soir chez la reine ; il se trouva heureux que Mme la dauphine l'eût choisi pour travailler à
485 une chose qu'elle désirait, et il lui promit d'obéir exactement à ses ordres ; mais Mme de Valentinois, ayant été avertie du dessein de ce mariage, l'avait traversé [2] avec tant de soin, et avait tellement prévenu [3] le roi, que, lorsque M. d'Anville lui en parla, il lui fit paraître qu'il ne l'approuvait pas, et lui ordonna même de le dire
490 au prince de Montpensier. L'on peut juger ce que sentit Mme de

---

1. *Chastelart* : amant de Marie Stuart (voir note 4, p. 35), qui fut exécuté après avoir été surpris dans la chambre de cette dernière.
2. *L'avait traversé* : l'avait empêché, s'y était opposée.
3. *Avait* [...] *prévenu* : avait disposé contre.

Chartres par la rupture d'une chose qu'elle avait tant désirée, dont le mauvais succès donnait un si grand avantage à ses ennemis et faisait un si grand tort à sa fille.

La reine dauphine témoigna à Mlle de Chartres, avec beaucoup d'amitié, le déplaisir qu'elle avait de lui avoir été inutile :

«Vous voyez, lui dit-elle, que j'ai un médiocre pouvoir. Je suis si haïe de la reine et de la duchesse de Valentinois qu'il est difficile que, par elles ou par ceux qui sont dans leur dépendance, elles ne traversent toujours toutes les choses que je désire. Cependant, ajouta-t-elle, je n'ai jamais pensé qu'à leur plaire ; aussi elles ne me haïssent qu'à cause de la reine ma mère [1], qui leur a donné autrefois de l'inquiétude et de la jalousie. Le roi en avait été amoureux avant qu'il le fût de Mme de Valentinois ; et dans les premières années de son mariage, qu'il n'avait point encore d'enfants, quoiqu'il aimât cette duchesse, il parut quasi résolu de se démarier pour épouser la reine ma mère. Mme de Valentinois qui craignait une femme qu'il avait déjà aimée, et dont la beauté et l'esprit pouvaient diminuer sa faveur, s'unit au connétable, qui ne souhaitait pas aussi [2] que le roi épousât une sœur de messieurs de Guise. Ils mirent le feu roi dans leurs sentiments, et quoiqu'il haït mortellement la duchesse de Valentinois, comme il aimait la reine, il travailla avec eux pour empêcher le roi de se démarier ; mais, pour lui ôter absolument la pensée d'épouser la reine ma mère, ils firent son mariage avec le roi d'Écosse, qui était veuf de Mme Magdeleine, sœur du roi, et ils le firent parce qu'il était le plus prêt à conclure, et manquèrent aux engagements qu'on avait avec le roi d'Angleterre, qui la souhaitait ardemment. Il s'en fallait peu même que ce manquement ne fît une rupture

---

1. *Marie de Guise* (1515-1560) : fille de Claude de Lorraine, elle se maria d'abord avec Louis II d'Orléans, duc de Longueville, puis épousa en secondes noces Jacques V d'Écosse. Elle lutta ardemment contre le protestantisme dans son pays.
2. *Aussi* : non plus.

entre les deux rois. Henri VIII [1] ne pouvait se consoler de n'avoir
520 pas épousé la reine ma mère ; et, quelque autre princesse française qu'on lui proposât, il disait toujours qu'elle ne remplacerait
jamais celle qu'on lui avait ôtée. Il est vrai aussi que la reine ma
mère était une parfaite beauté, et que c'est une chose remarquable
que, veuve d'un duc de Longueville, trois rois aient souhaité de
525 l'épouser ; son malheur l'a donnée au moindre et l'a mise dans
un royaume où elle ne trouve que des peines. On dit que je lui
ressemble : je crains de lui ressembler aussi par sa malheureuse
destinée ; et, quelque bonheur qui semble se préparer pour moi,
je ne saurais croire que j'en jouisse. »
530   Mlle de Chartres dit à la reine que ces tristes pressentiments
étaient si mal fondés qu'elle ne les conserverait pas longtemps, et
qu'elle ne devait point douter que son bonheur ne répondît aux
apparences.

   Personne n'osait plus penser à Mlle de Chartres, par la crainte
535 de déplaire au roi ou par la pensée de ne pas réussir auprès d'une
personne qui avait espéré un prince du sang. M. de Clèves ne
fut retenu par aucune de ces considérations. La mort du duc de
Nevers son père, qui arriva alors, le mit dans une entière liberté
de suivre son inclination [2] et, sitôt que le temps de la bienséance [3]
540 du deuil fut passé, il ne songea plus qu'aux moyens d'épouser
Mlle de Chartres. Il se trouvait heureux d'en faire la proposition
dans un temps où ce qui s'était passé avait éloigné les autres
partis et où il était quasi assuré qu'on ne la lui refuserait pas. Ce
qui troublait sa joie était la crainte de ne lui être pas agréable, et

---

1. *Henri VIII* (1491-1547) : roi d'Angleterre (1509-1547) et d'Irlande
(1541-1547), très attaché à l'Église catholique dont il se sépara lorsque
le pape refusa l'annulation de son mariage avec Catherine d'Aragon (voir
note 4, p. 42). Après avoir répudié celle-ci, il se prononça chef de l'Église
d'Angleterre.
2. *Inclination* : penchant, passion. Vocabulaire précieux hérité de la *Carte du
Tendre* de Mlle de Scudéry (voir présentation, note 2, p. 14).
3. *Bienséance* : décence, convenance.

545 il eût préféré le bonheur de lui plaire à la certitude de l'épouser
sans en être aimé.

Le chevalier de Guise lui avait donné quelque sorte de jalousie ; mais comme elle était plutôt fondée sur le mérite de ce prince
que sur aucune des actions de Mlle de Chartres, il songea seule-
550 ment à tâcher de découvrir qu'il était assez heureux pour qu'elle
approuvât la pensée qu'il avait pour elle. Il ne la voyait que chez
les reines ou aux assemblées ; il était difficile d'avoir une conversation particulière [1]. Il en trouva pourtant les moyens, et il lui parla
de son dessein et de sa passion avec tout le respect imaginable ; il
555 la pressa de lui faire connaître quels étaient les sentiments qu'elle
avait pour lui, et il lui dit que ceux qu'il avait pour elle étaient
d'une nature qui le rendrait éternellement malheureux si elle
n'obéissait que par devoir aux volontés de madame sa mère.

Comme Mlle de Chartres avait le cœur très noble et très bien
560 fait, elle fut véritablement touchée de reconnaissance du procédé
du prince de Clèves. Cette reconnaissance donna à ses réponses
et à ses paroles un certain air de douceur qui suffisait pour donner de l'espérance à un homme aussi éperdument amoureux que
l'était ce prince ; de sorte qu'il se flatta d'une partie de ce qu'il
565 souhaitait.

Elle rendit compte à sa mère de cette conversation, et Mme de
Chartres lui dit qu'il y avait tant de grandeur et de bonnes qualités dans M. de Clèves, et qu'il faisait paraître tant de sagesse pour
son âge que, si elle sentait son inclination portée à l'épouser, elle y
570 consentirait avec joie. Mlle de Chartres répondit qu'elle lui remarquait les mêmes bonnes qualités ; qu'elle l'épouserait même avec
moins de répugnance qu'un autre, mais qu'elle n'avait aucune
inclination particulière pour sa personne.

Dès le lendemain, ce prince fit parler à Mme de Chartres ; elle
575 reçut la proposition qu'on lui faisait et elle ne craignit point de
donner à sa fille un mari qu'elle ne pût aimer en lui donnant le

---

1. *Particulière* : privée.

prince de Clèves. Les articles [1] furent conclus ; on parla au roi, et ce mariage fut su de tout le monde.

M. de Clèves se trouvait heureux, sans être néanmoins entière-580 ment content. Il voyait avec beaucoup de peine que les sentiments de Mlle de Chartres ne passaient pas ceux de l'estime et de la reconnaissance, et il ne pouvait se flatter qu'elle en cachât de plus obligeants [2], puisque l'état où ils étaient lui permettait de les faire paraître sans choquer son extrême modestie. Il ne se passait guère 585 de jours qu'il ne lui en fît ses plaintes [3].

« Est-il possible, lui disait-il, que je puisse n'être pas heureux en vous épousant ! Cependant il est vrai que je ne le suis pas. Vous n'avez pour moi qu'une sorte de bonté qui ne peut me satisfaire ; vous n'avez ni impatience, ni inquiétude, ni chagrin ; vous n'êtes 590 pas plus touchée de ma passion que vous le seriez d'un attachement qui ne serait fondé que sur les avantages de votre fortune et non pas sur les charmes de votre personne.

– Il y a de l'injustice à vous plaindre, lui répondit-elle ; je ne sais ce que vous pouvez souhaiter au-delà de ce que je fais, et il 595 me semble que la bienséance ne permet pas que j'en fasse davantage.

– Il est vrai, lui répliqua-t-il, que vous me donnez de certaines apparences dont je serais content s'il y avait quelque chose au-delà ; mais, au lieu que la bienséance vous retienne, c'est elle 600 seule qui vous fait faire ce que vous faites. Je ne touche ni votre inclination, ni votre cœur, et ma présence ne vous donne ni de plaisir, ni de trouble [4].

---

1. *Articles* : clauses du contrat de mariage.
2. *Obligeants* : ici, chaleureux, tendres.
3. Tous ces termes relèvent, là encore, du vocabulaire précieux. Sur la *Carte du Tendre*, l'« estime » ou la « reconnaissance » sont des voies qui peuvent mener à la « tendresse ».
4. M. de Clèves reproche ici à sa future femme de ne pas éprouver des senti-ments passionnés pour sa personne. Cependant, pour les précieuses, la pas-sion fait sombrer dans un abîme, représenté par la « mer Dangereuse » sur

– Vous ne sauriez douter, reprit-elle, que je n'aie de la joie de vous voir, et je rougis si souvent en vous voyant que vous ne sauriez douter aussi que votre vue ne me donne du trouble.

– Je ne me trompe pas à votre rougeur, répondit-il ; c'est un sentiment de modestie, et non pas un mouvement de votre cœur, et je n'en tire que l'avantage que j'en dois tirer [1]. »

Mlle de Chartres ne savait que répondre, et ces distinctions étaient au-dessus de ses connaissances. M. de Clèves ne voyait que trop combien elle était éloignée d'avoir pour lui des sentiments qui le pouvaient satisfaire, puisqu'il lui paraissait même qu'elle ne les entendait pas.

Le chevalier de Guise revint d'un voyage peu de jours avant les noces. Il avait vu tant d'obstacles insurmontables au dessein qu'il avait eu d'épouser Mlle de Chartres, qu'il n'avait pu se flatter d'y réussir ; et néanmoins il fut sensiblement affligé de la voir devenir la femme d'un autre. Cette douleur n'éteignit pas sa passion et il ne demeura pas moins amoureux. Mlle de Chartres n'avait pas ignoré les sentiments que ce prince avait eus pour elle. Il lui fit connaître à son retour qu'elle était cause de l'extrême tristesse qui paraissait sur son visage ; et il avait tant de mérite et tant d'agréments qu'il était difficile de le rendre malheureux sans en avoir quelque pitié. Aussi ne se pouvait-elle défendre [2] d'en avoir ; mais cette pitié ne la conduisait pas à d'autres sentiments : elle contait à sa mère la peine que lui donnait l'affliction [3] de ce prince.

---

la *Carte du Tendre*. Mme de Clèves ressentira de la passion pour le duc de Nemours et connaîtra une intense souffrance.
1. La passion amoureuse se manifeste par des signes physiologiques, qui témoignent du trouble du cœur (voir Racine, *Phèdre* : « Je le vis, je rougis, je pâlis à sa vue », acte I, scène III).
2. *Défendre* : empêcher.
3. *Affliction* : peine, douleur. L'édition originale use du terme « affection » mais Jean Mesnard (dans son édition GF-Flammarion, 1980), a corrigé par « affliction » (le mot « affection » étant absent du reste du roman, il devait s'agir d'une coquille).

Mme de Chartres admirait la sincérité de sa fille, et elle l'admirait avec raison, car jamais personne n'en a eu une si grande et si naturelle; mais elle n'admirait pas moins que son cœur ne fût point touché, et d'autant plus qu'elle voyait bien que le prince de Clèves ne l'avait pas touchée, non plus que les autres. Cela fut cause qu'elle prit de grands soins de l'attacher à son mari et de lui faire comprendre ce qu'elle devait à l'inclination qu'il avait eue pour elle avant que de la connaître, et à la passion qu'il lui avait témoignée en la préférant à tous les autres partis dans un temps où personne n'osait plus penser à elle.

Ce mariage s'acheva, la cérémonie s'en fit au Louvre; et le soir, le roi et les reines vinrent souper chez Mme de Chartres avec toute la cour, où ils furent reçus avec une magnificence admirable. Le chevalier de Guise n'osa se distinguer des autres et ne pas assister à cette cérémonie; mais il y fut si peu maître de sa tristesse qu'il était aisé de la remarquer.

M. de Clèves ne trouva pas que Mlle de Chartres eût changé de sentiment en changeant de nom. La qualité de son mari lui donna de plus grands privilèges; mais elle ne lui donna pas une autre place dans le cœur de sa femme. Cela fit aussi que, pour être son mari, il ne laissa pas d'être son amant [1], parce qu'il avait toujours quelque chose à souhaiter au-delà de sa possession; et, quoiqu'elle vécût parfaitement bien avec lui, il n'était pas entièrement heureux. Il conservait pour elle une passion violente et inquiète qui troublait sa joie. La jalousie n'avait point de part à ce trouble : jamais mari n'a été si loin d'en prendre et jamais femme n'a été si loin d'en donner. Elle était néanmoins exposée au milieu de la cour; elle allait tous les jours chez les reines et chez Madame. Tout ce qu'il y avait d'hommes jeunes et galants la voyaient chez elle et chez le duc de Nevers, son beau-frère, dont la maison était ouverte à tout le monde; mais elle avait un air qui inspirait un

---

1. *Il ne laissa pas d'être son amant* : il ne cessa de l'aimer passionnément. Dans le lexique précieux, le mari et l'amant s'opposent; par ailleurs, «amant» ne s'entend pas au sens moderne, il signifie «celui qui aime».

si grand respect, et qui paraissait si éloigné de la galanterie, que le maréchal de Saint-André, quoique audacieux et soutenu de la faveur du roi, était touché de sa beauté sans oser le lui faire paraître que par des soins et des devoirs. Plusieurs autres étaient dans le même état ; et Mme de Chartres joignait à la sagesse de sa fille une conduite si exacte pour toutes les bienséances qu'elle achevait de la faire paraître une personne où l'on ne pouvait atteindre [1].

La duchesse de Lorraine, en travaillant à la paix, avait aussi travaillé pour le mariage du duc de Lorraine son fils [2]. Il avait été conclu avec Mme Claude de France, seconde fille du roi. Les noces en furent résolues pour le mois de février [3].

Cependant le duc de Nemours était demeuré à Bruxelles, entièrement rempli et occupé de ses desseins pour l'Angleterre. Il en recevait ou y renvoyait continuellement des courriers : ses espérances augmentaient tous les jours, et enfin Lignerolles lui manda [4] qu'il était temps que sa présence vînt achever ce qui était si bien commencé. Il reçut cette nouvelle avec toute la joie que peut avoir un jeune homme ambitieux, qui se voit porté au trône par sa seule réputation. Son esprit s'était insensiblement accoutumé à la grandeur de cette fortune, et, au lieu qu'il l'avait rejetée d'abord comme une chose où il ne pouvait parvenir, les difficultés s'étaient effacées de son imagination, et il ne voyait plus d'obstacles.

Il envoya en diligence [5] à Paris donner tous les ordres nécessaires pour faire un équipage magnifique, afin de paraître en Angleterre avec un éclat proportionné au dessein qui l'y conduisait, et il se hâta lui-même de venir à la cour pour assister au mariage de M. de Lorraine.

---

1. *Où l'on ne pouvait atteindre* : que l'on ne pouvait conquérir.
2. Charles III, duc de Lorraine et de Bar (1545-1608), épousa Claude de France (1547-1575), deuxième fille d'Henri II et de Catherine de Médicis.
3. En fait, le mariage eut lieu le 22 janvier 1559.
4. *Manda* : fit savoir.
5. *En diligence* : à la hâte, rapidement.

Il arriva la veille des fiançailles ; et, dès le même soir qu'il fut arrivé, il alla rendre compte au roi de l'état de son dessein, et recevoir ses ordres et ses conseils pour ce qu'il lui restait à faire. Il alla ensuite chez les reines. Mme de Clèves n'y était pas, de sorte qu'elle ne le vit point et ne sut pas même qu'il fût arrivé. Elle avait ouï [1] parler de ce prince à tout le monde, comme de ce qu'il y avait de mieux fait et de plus agréable à la cour ; et surtout Mme la dauphine le lui avait dépeint d'une sorte, et lui en avait parlé tant de fois, qu'elle lui avait donné de la curiosité, et même de l'impatience de le voir.

Elle passa tout le jour des fiançailles chez elle à se parer, pour se trouver le soir au bal et au festin royal qui se faisaient au Louvre. Lorsqu'elle arriva, l'on admira sa beauté et sa parure ; le bal commença et, comme elle dansait avec M. de Guise, il se fit un assez grand bruit vers la porte de la salle, comme de quelqu'un qui entrait, et à qui on faisait place. Mme de Clèves acheva de danser et pendant qu'elle cherchait des yeux quelqu'un qu'elle avait dessein de prendre, le roi lui cria de prendre celui qui arrivait. Elle se tourna et vit un homme qu'elle crut d'abord ne pouvoir être que M. de Nemours, qui passait par-dessus quelques sièges pour arriver où l'on dansait. Ce prince était fait d'une sorte, qu'il était difficile de n'être pas surprise de le voir quand on ne l'avait jamais vu, surtout ce soir-là, où le soin qu'il avait pris de se parer augmentait encore l'air brillant qui était dans sa personne ; mais il était difficile aussi de voir Mme de Clèves pour la première fois sans avoir un grand étonnement.

M. de Nemours fut tellement surpris de sa beauté que, lorsqu'il fut proche d'elle, et qu'elle lui fit la révérence, il ne put s'empêcher de donner des marques de son admiration. Quand ils commencèrent à danser, il s'éleva dans la salle un murmure de louanges. Le roi et les reines se souvinrent qu'ils ne s'étaient jamais vus, et trouvèrent quelque chose de singulier de les voir

---

1. *Avait ouï* : avait entendu.

danser ensemble sans se connaître. Ils les appelèrent quand ils eurent fini, sans leur donner le loisir de parler à personne, et leur demandèrent s'ils n'avaient pas bien envie de savoir qui ils étaient, et s'ils ne s'en doutaient point.

«Pour moi, Madame, dit M. de Nemours, je n'ai pas d'incertitude; mais comme Mme de Clèves n'a pas les mêmes raisons pour deviner qui je suis que celles que j'ai pour la reconnaître, je voudrais bien que Votre Majesté eût la bonté de lui apprendre mon nom.

– Je crois, dit Mme la dauphine, qu'elle le sait aussi bien que vous savez le sien.

– Je vous assure, Madame, reprit Mme de Clèves, qui paraissait un peu embarrassée, que je ne devine pas si bien que vous pensez.

– Vous devinez fort bien, répondit Mme la dauphine; et il y a même quelque chose d'obligeant pour M. de Nemours à ne vouloir pas avouer que vous le connaissez sans l'avoir jamais vu.»

La reine les interrompit pour faire continuer le bal; M. de Nemours prit la reine dauphine. Cette princesse était d'une parfaite beauté et avait paru telle aux yeux de M. de Nemours avant qu'il allât en Flandres; mais, de tout le soir, il ne put admirer que Mme de Clèves.

Le chevalier de Guise, qui l'adorait toujours, était à ses pieds, et ce qui se venait de passer lui avait donné une douleur sensible. Il le prit comme un présage, que la fortune destinait M. de Nemours à être amoureux de Mme de Clèves; et, soit qu'en effet il eût paru quelque trouble sur son visage, ou que la jalousie fit voir au chevalier de Guise au-delà de la vérité, il crut qu'elle avait été touchée de la vue de ce prince, et il ne put s'empêcher de lui dire que M. de Nemours était bien heureux de commencer à être connu d'elle par une aventure qui avait quelque chose de galant et d'extraordinaire.

Mme de Clèves revint chez elle l'esprit si rempli de tout ce qui s'était passé au bal que, quoiqu'il fût fort tard, elle alla dans la

chambre de sa mère pour lui en rendre compte; et elle lui loua
M. de Nemours avec un certain air qui donna à Mme de Chartres
la même pensée qu'avait eue le chevalier de Guise.

755   Le lendemain, la cérémonie des noces se fit. Mme de Clèves y
vit le duc de Nemours avec une mine et une grâce si admirables
qu'elle en fut encore plus surprise.

Les jours suivants, elle le vit chez la reine dauphine, elle le
vit jouer à la paume avec le roi, elle le vit courre [1] la bague, elle
760   l'entendit parler; mais elle le vit toujours surpasser de si loin tous
les autres, et se rendre tellement maître de la conversation dans
tous les lieux où il était, par l'air de sa personne et par l'agrément
de son esprit, qu'il fit en peu de temps une grande impression
dans son cœur.

765   Il est vrai aussi que, comme M. de Nemours sentait pour elle
une inclination violente, qui lui donnait cette douceur et cet enjouement qu'inspirent les premiers désirs de plaire, il était encore plus
aimable qu'il n'avait accoutumé de l'être. De sorte que, se voyant
souvent, et se voyant l'un et l'autre ce qu'il y avait de plus parfait
770   à la cour, il était difficile qu'ils ne se plussent infiniment.

La duchesse de Valentinois était de toutes les parties de plaisir,
et le roi avait pour elle la même vivacité et les mêmes soins que
dans les commencements de sa passion. Mme de Clèves, qui était
dans cet âge où l'on ne croit pas qu'une femme puisse être aimée
775   quand elle a passé vingt-cinq ans, regardait avec un extrême étonnement l'attachement que le roi avait pour cette duchesse, qui
était grand-mère, et qui venait de marier sa petite-fille. Elle en
parlait souvent à Mme de Chartres :

«Est-il possible, Madame, lui disait-elle, qu'il y ait si long-
780   temps que le roi en soit amoureux? Comment s'est-il pu attacher
à une personne qui était beaucoup plus âgée que lui, qui avait été
maîtresse de son père, et qui l'est encore de beaucoup d'autres,
à ce que j'ai ouï dire ?

---

1. *Courre* : forme archaïque de «courir».

– Il est vrai, répondit-elle, que ce n'est ni le mérite, ni la fidé-
785 lité de Mme de Valentinois, qui a fait naître la passion du roi, ni
qui l'a conservée, et c'est aussi en quoi il n'est pas excusable ; car
si cette femme avait eu de la jeunesse et de la beauté jointes à sa
naissance, qu'elle eût eu le mérite de n'avoir jamais rien aimé,
qu'elle eût aimé le roi avec une fidélité exacte, qu'elle l'eût aimé
790 par rapport à sa seule personne, sans intérêt de grandeur ni de
fortune, et sans se servir de son pouvoir que pour des choses
honnêtes ou agréables au roi même, il faut avouer qu'on aurait eu
de la peine à s'empêcher de louer ce prince du grand attachement
qu'il a pour elle. Si je ne craignais, continua Mme de Chartres,
795 que vous disiez de moi ce que l'on dit de toutes les femmes de
mon âge, qu'elles aiment à conter les histoires de leur temps, je
vous apprendrais le commencement de la passion du roi pour
cette duchesse, et plusieurs choses de la cour du feu roi qui ont
même beaucoup de rapport avec celles qui se passent encore pré-
800 sentement [1].

– Bien loin de vous accuser, reprit Mme de Clèves, de redire
les histoires passées, je me plains, Madame, que vous ne m'ayez
pas instruite des présentes, et que vous ne m'ayez point appris
les divers intérêts et les diverses liaisons de la cour. Je les ignore
805 si entièrement que je croyais, il y a peu de jours, que M. le connétable [2] était fort bien avec la reine.

– Vous aviez une opinion bien opposée à la vérité, répondit Mme de Chartres. La reine hait M. le connétable, et si elle a
jamais quelque pouvoir, il ne s'en apercevra que trop. Elle sait
810 qu'il a dit plusieurs fois au roi que, de tous ses enfants, il n'y avait
que les naturels qui lui ressemblassent.

– Je n'eusse jamais soupçonné cette haine, interrompit
Mme de Clèves, après avoir vu le soin que la reine avait d'écrire

---

1. Début de la première des quatre digressions que compte le roman.
2. Il s'agit du connétable de Montmorency, fait prisonnier après la défaite de
Saint-Quentin (voir note 2, p. 39, et note 4, p. 41).

à M. le connétable pendant sa prison, la joie qu'elle a témoignée
815 à son retour, et comme elle l'appelle toujours mon compère, aussi
bien que le roi.

– Si vous jugez sur les apparences en ce lieu-ci, répondit
Mme de Chartres, vous serez souvent trompée : ce qui paraît
n'est presque jamais la vérité.

820 «Mais, pour revenir à Mme de Valentinois, vous savez qu'elle
s'appelle Diane de Poitiers ; sa maison est très illustre, elle vient
des anciens ducs d'Aquitaine, son aïeule était fille naturelle de
Louis XI, et enfin il n'y a rien que de grand dans sa naissance.
Saint-Vallier, son père, se trouva embarrassé [1] dans l'affaire
825 du connétable de Bourbon, dont vous avez ouï parler [2]. Il fut
condamné à avoir la tête tranchée et conduit sur l'échafaud. Sa
fille, dont la beauté était admirable, et qui avait déjà plu au feu
roi, fit si bien (je ne sais par quels moyens) qu'elle obtint la vie
de son père. On lui porta sa grâce comme il n'attendait que le
830 coup de la mort ; mais la peur l'avait tellement saisi qu'il n'avait
plus de connaissance, et il mourut peu de jours après [3]. Sa fille
parut à la cour comme la maîtresse du roi. Le voyage d'Italie
et la prison de ce prince interrompirent cette passion. Lorsqu'il
revint d'Espagne [4] et que Mme la Régente [5] alla au-devant de lui
835 à Bayonne, elle mena toutes ses filles [6], parmi lesquelles était

---

1. *Embarrassé* : impliqué.
2. Le connétable de Bourbon trahit François Ier ; le père de Diane de Poitiers,
Jean de Poitiers, ami du connétable, fut condamné à mort. Au moment d'être
exécuté, il fut gracié à la suite d'une démarche de sa fille : l'écrivain Brantôme
affirme qu'elle s'est donnée au roi pour sauver son père. Aucun document
fiable n'en témoigne.
3. De nouveau, cette affirmation est fausse sur le plan historique : le père de
Diane de Poitiers n'expira qu'en 1539.
4. François Ier fut fait prisonnier et emmené à Madrid à la suite de sa défaite
italienne à Pavie (24 février 1525) contre l'armée impériale de Charles
Quint.
5. *Madame la Régente* : Louise de Savoie (1476-1531), mère de François Ier.
6. *Filles* : filles d'honneur.

Mlle de Pisseleu, qui a été depuis la duchesse d'Étampes[1]. Le roi en devint amoureux. Elle était inférieure en naissance, en esprit et en beauté à Mme de Valentinois, et elle n'avait au-dessus d'elle que l'avantage de la grande jeunesse. Je lui ai ouï dire plu-
840 sieurs fois qu'elle était née le jour que Diane de Poitiers avait été mariée ; la haine le lui faisait dire, et non pas la vérité : car je suis bien trompée si la duchesse de Valentinois n'épousa M. de Brézé, grand sénéchal de Normandie, dans le même temps que le roi devint amoureux de Mme d'Étampes[2]. Jamais il n'y a eu une si
845 grande haine que l'a été celle de ces deux femmes. La duchesse de Valentinois ne pouvait pardonner à Mme d'Étampes de lui avoir ôté le titre de maîtresse du roi. Mme d'Étampes avait une jalousie violente contre Mme de Valentinois parce que le roi conservait un commerce avec elle. Ce prince n'avait pas une fidélité exacte
850 pour ses maîtresses ; il y en avait toujours une qui avait le titre et les honneurs, mais les dames que l'on appelait de la petite bande le partageaient tour à tour. La perte du dauphin, son fils, qui mourut à Tournon[3], et que l'on crut empoisonné, lui donna une sensible affliction. Il n'avait pas la même tendresse, ni le même
855 goût pour son second fils, qui règne présentement ; il ne lui trouvait pas assez de hardiesse[4], ni assez de vivacité. Il s'en plaignit un jour à Mme de Valentinois et elle lui dit qu'elle voulait le faire devenir amoureux d'elle, pour le rendre plus vif et plus agréable. Elle y réussit comme vous le voyez ; il y a plus de vingt ans que
860 cette passion dure, sans qu'elle ait été altérée ni par le temps, ni par les obstacles.

« Le feu roi s'y opposa d'abord, et, soit qu'il eût encore assez d'amour pour Mme de Valentinois pour avoir de la jalousie, ou qu'il fût poussé par la duchesse d'Étampes, qui était au désespoir

---

1. Elle devint la maîtresse de François Ier.
2. Née en 1508, la duchesse d'Étampes avait en fait six ans quand Diane de Poitiers se maria (en 1514).
3. Voir note 5, p. 34.
4. *Hardiesse* : courage, témérité.

865 que M. le dauphin fût attaché à son ennemie, il est certain qu'il vit cette passion avec une colère et un chagrin dont il donnait tous les jours des marques. Son fils ne craignit ni sa colère, ni sa haine, et rien ne put l'obliger à diminuer son attachement, ni à le cacher ; il fallut que le roi s'accoutumât à le souffrir. Aussi
870 cette opposition à ses volontés l'éloigna encore de lui et l'attacha davantage au duc d'Orléans [1], son troisième fils. C'était un prince bien fait, beau, plein de feu et d'ambition, d'une jeunesse fougueuse, qui avait besoin d'être modéré, mais qui eût fait aussi un prince d'une grande élévation si l'âge eût mûri son esprit.

875 « Le rang d'aîné qu'avait le dauphin, et la faveur du roi qu'avait le duc d'Orléans, faisaient entre eux une sorte d'émulation qui allait jusqu'à la haine. Cette émulation avait commencé dès leur enfance et s'était toujours conservée. Lorsque l'empereur [2] passa en France, il donna une préférence entière au duc d'Orléans sur
880 M. le dauphin, qui la ressentit si vivement que, comme cet empereur était à Chantilly, il voulut obliger M. le connétable à l'arrêter, sans attendre le commandement du roi. M. le connétable ne le voulut pas ; le roi le blâma dans la suite de n'avoir pas suivi le conseil de son fils ; et lorsqu'il l'éloigna de la cour, cette raison y
885 eut beaucoup de part.

« La division des deux frères donna la pensée à la duchesse d'Étampes de s'appuyer de M. le duc d'Orléans pour la soutenir auprès du roi contre Mme de Valentinois. Elle y réussit : ce prince, sans être amoureux d'elle, n'entra guère moins dans ses
890 intérêts que le dauphin était dans ceux de Mme de Valentinois. Cela fit deux cabales dans la cour, telles que vous pouvez vous les imaginer ; mais ces intrigues ne se bornèrent pas seulement à des démêlés de femmes.

« L'empereur, qui avait conservé de l'amitié pour le duc d'Or-
895 léans, avait offert plusieurs fois de lui remettre le duché de Milan.

---

1. *Duc d'Orléans* : troisième fils de François Ier (1522-1545).
2. Il s'agit de Charles Quint (voir aussi note 6, p. 41).

Dans les propositions qui se firent depuis pour la paix, il faisait espérer de lui donner les dix-sept provinces [1] et de lui faire épouser sa fille. M. le dauphin ne souhaitait ni la paix, ni ce mariage. Il se servit de M. le connétable, qu'il a toujours aimé, pour faire voir au roi de quelle importance il était de ne pas donner à son successeur un frère aussi puissant que le serait un duc d'Orléans avec l'alliance de l'empereur et les dix-sept provinces. M. le connétable entra d'autant mieux dans les sentiments de M. le dauphin qu'il s'opposait par là à ceux de Mme d'Étampes, qui était son ennemie déclarée, et qui souhaitait ardemment l'élévation de M. le duc d'Orléans.

«M. le dauphin commandait alors l'armée du roi en Champagne et avait réduit celle de l'empereur en une telle extrémité qu'elle eût péri entièrement si la duchesse d'Étampes, craignant que de trop grands avantages ne nous fissent refuser la paix et l'alliance de l'empereur pour M. le duc d'Orléans, n'eût fait secrètement avertir les ennemis de surprendre Épernay et Château-Thierry, qui étaient pleins de vivres. Ils le firent, et sauvèrent par ce moyen toute leur armée.

«Cette duchesse ne jouit pas longtemps du succès de sa trahison. Peu après, M. le duc d'Orléans mourut à Farmoutiers, d'une espèce de maladie contagieuse. Il aimait une des plus belles femmes de la cour et en était aimé. Je ne vous la nommerai pas, parce qu'elle a vécu depuis avec tant de sagesse et qu'elle a même caché avec tant de soin la passion qu'elle avait pour ce prince qu'elle a mérité que l'on conserve sa réputation. Le hasard fit qu'elle reçut la nouvelle de la mort de son mari le même jour qu'elle apprit celle de M. d'Orléans ; de sorte qu'elle eut ce prétexte pour cacher sa véritable affliction, sans avoir la peine de se contraindre.

«Le roi ne survécut guère le prince son fils [2] ; il mourut deux ans après. Il recommanda à M. le dauphin de se servir du cardi-

---

1. Il s'agit des Pays-Bas.
2. «Survivre» est encore un verbe transitif direct au XVIIe siècle.

nal de Tournon et de l'amiral d'Annebauld, et ne parla point de M. le connétable, qui était pour lors relégué à Chantilly. Ce fut néanmoins la première chose que fit le roi son fils, de le rappeler, et de lui donner le gouvernement des affaires.

«Mme d'Étampes fut chassée et reçut tous les mauvais traitements qu'elle pouvait attendre d'une ennemie toute-puissante ; la duchesse de Valentinois se vengea alors pleinement, et de cette duchesse, et de tous ceux qui lui avaient déplu. Son pouvoir parut plus absolu sur l'esprit du roi qu'il ne paraissait encore pendant qu'il était dauphin. Depuis douze ans que ce prince règne, elle est maîtresse absolue de toutes choses ; elle dispose des charges[1] et des affaires ; elle a fait chasser le cardinal de Tournon, le chancelier Olivier, et Villeroy. Ceux qui ont voulu éclairer le roi sur sa conduite ont péri dans cette entreprise. Le comte de Taix, grand maître de l'artillerie, qui ne l'aimait pas, ne put s'empêcher de parler de ses galanteries, et surtout de celle du comte de Brissac, dont le roi avait déjà eu beaucoup de jalousie. Néanmoins elle fit si bien que le comte de Taix fut disgracié ; on lui ôta sa charge ; et, ce qui est presque incroyable, elle la fit donner au comte de Brissac et l'a fait ensuite maréchal de France. La jalousie du roi augmenta néanmoins d'une telle sorte qu'il ne put souffrir que ce maréchal demeurât à la cour ; mais la jalousie, qui est aigre et violente en tous les autres, est douce et modérée en lui par l'extrême respect qu'il a pour sa maîtresse ; en sorte qu'il n'osa éloigner son rival que sur le prétexte de lui donner le gouvernement de Piémont. Il y a passé plusieurs années ; il revint, l'hiver dernier, sur le prétexte de demander des troupes et d'autres choses nécessaires pour l'armée qu'il commande. Le désir de revoir Mme de Valentinois, et la crainte d'en être oublié, avait peut-être beaucoup de part à ce voyage. Le roi le reçut avec une grande froideur. MM. de Guise, qui ne l'aiment pas, mais qui n'osent le témoigner à cause de Mme de Valentinois, se servirent de M. le vidame, qui

---

1. *Charges* : dignités, emplois.

est son ennemi déclaré, pour empêcher qu'il n'obtînt aucune de
960 choses qu'il était venu demander. Il n'était pas difficile de lui
nuire : le roi le haïssait, et sa présence lui donnait de l'inquiétude ; de sorte qu'il fut contraint de s'en retourner sans remporter
aucun fruit de son voyage, que d'avoir peut-être rallumé dans le
cœur de Mme de Valentinois des sentiments que l'absence com-
965 mençait d'éteindre. Le roi a bien eu d'autres sujets de jalousie ;
mais ou il ne les a pas connus, ou il n'a osé s'en plaindre.

« Je ne sais, ma fille, ajouta Mme de Chartres, si vous ne trouverez point que je vous ai plus appris de choses que vous n'aviez
envie d'en savoir.

970 – Je suis très éloignée, Madame, de faire cette plainte, répondit Mme de Clèves ; et, sans la peur de vous importuner, je vous
demanderais encore plusieurs circonstances que j'ignore.»

La passion de M. de Nemours pour Mme de Clèves fut
d'abord si violente qu'elle lui ôta le goût et même le souvenir de
975 toutes les personnes qu'il avait aimées et avec qui il avait conservé
des commerces [1] pendant son absence. Il ne prit pas seulement le
soin de chercher des prétextes pour rompre avec elles ; il ne put se
donner la patience d'écouter leurs plaintes et de répondre à leurs
reproches. Mme la dauphine, pour qui il avait eu des sentiments
980 assez passionnés, ne put tenir dans son cœur contre Mme de
Clèves. Son impatience pour le voyage d'Angleterre commença
même à se ralentir, et il ne pressa plus avec tant d'ardeur les
choses qui étaient nécessaires pour son départ. Il allait souvent
chez la reine dauphine, parce que Mme de Clèves y allait souvent,
985 et il n'était pas fâché de laisser imaginer ce que l'on avait cru de
ses sentiments pour cette reine. Mme de Clèves lui paraissait d'un
si grand prix qu'il se résolut de manquer plutôt à lui donner des
marques de sa passion que de hasarder de la faire connaître au
public. Il n'en parla pas même au vidame de Chartres, qui était
990 son ami intime, et pour qui il n'avait rien de caché. Il prit une

---

1. *Commerces* : ici, relations.

conduite si sage, et s'observa avec tant de soin, que personne ne le soupçonna d'être amoureux de Mme de Clèves, que[1] le chevalier de Guise ; et elle aurait eu peine à s'en apercevoir elle-même, si l'inclination qu'elle avait pour lui ne lui eût donné une attention particulière pour ses actions, qui ne lui permit pas d'en douter.

Elle ne se trouva pas la même disposition à dire à sa mère ce qu'elle pensait des sentiments de ce prince qu'elle avait eue à lui parler de ses autres amants ; sans avoir un dessein formé de lui cacher, elle ne lui en parla point ; mais Mme de Chartres ne le voyait que trop, aussi bien que le penchant que sa fille avait pour lui. Cette connaissance lui donna une douleur sensible ; elle jugeait bien le péril où était cette jeune personne, d'être aimée d'un homme fait comme M. de Nemours, pour qui elle avait de l'inclination. Elle fut entièrement confirmée dans les soupçons qu'elle avait de cette inclination par une chose qui arriva peu de jours après.

Le maréchal de Saint-André, qui cherchait toutes les occasions de faire voir sa magnificence, supplia le roi, sur le prétexte de lui montrer sa maison, qui ne venait que d'être achevée, de lui vouloir faire l'honneur d'y aller souper avec les reines. Ce maréchal était bien aise aussi de faire paraître aux yeux de Mme de Clèves cette dépense éclatante qui allait jusqu'à la profusion.

Quelques jours avant celui qui avait été choisi pour ce souper, le roi dauphin, dont la santé était assez mauvaise, s'était trouvé mal, et n'avait vu personne. La reine sa femme avait passé tout le jour auprès de lui. Sur le soir, comme il se portait mieux, il fit entrer toutes les personnes de qualité qui étaient dans son antichambre. La reine dauphine s'en alla chez elle ; elle y trouva Mme de Clèves et quelques autres dames qui étaient les plus dans sa familiarité.

---

1. **Personne** [...] **que** : personne à l'exception du chevalier de Guise.

Comme il était déjà assez tard, et qu'elle n'était point habillée, elle n'alla pas chez la reine ; elle fit dire qu'on ne la voyait point, et fit apporter ses pierreries afin d'en choisir pour le bal du maré-
1025 chal de Saint-André, et pour en donner à Mme de Clèves, à qui elle en avait promis. Comme elles étaient dans cette occupation, le prince de Condé arriva. Sa qualité lui rendait toutes les entrées libres. La reine dauphine lui dit qu'il venait sans doute de chez le roi son mari et lui demanda ce que l'on y faisait.
1030 « L'on dispute contre M. de Nemours, Madame, répondit-il ; et il défend avec tant de chaleur la cause qu'il soutient qu'il faut que ce soit la sienne. Je crois qu'il a quelque maîtresse [1] qui lui donne de l'inquiétude quand elle est au bal, tant il trouve que c'est une chose fâcheuse pour un amant que d'y voir la personne
1035 qu'il aime.

– Comment ! reprit Mme la dauphine, M. de Nemours ne veut pas que sa maîtresse aille au bal ? J'avais bien cru que les maris pouvaient souhaiter que leurs femmes n'y allassent pas ; mais, pour les amants, je n'avais jamais pensé qu'ils pussent être de ce
1040 sentiment.

– M. de Nemours trouve, répliqua le prince de Condé, que le bal est ce qu'il y a de plus insupportable pour les amants, soit qu'ils soient aimés, ou qu'ils ne le soient pas. Il dit que, s'ils sont aimés, ils ont le chagrin de l'être moins pendant plusieurs jours ;
1045 qu'il n'y a point de femme que le soin de sa parure n'empêche de songer à son amant ; qu'elles en sont entièrement occupées ; que ce soin de se parer est pour tout le monde, aussi bien que pour celui qu'elles aiment ; que lorsqu'elles sont au bal, elles veulent plaire à tous ceux qui les regardent ; que, quand elles sont
1050 contentes de leur beauté, elles en ont une joie dont leur amant ne fait pas la plus grande partie. Il dit aussi que, quand on n'est point aimé, on souffre encore davantage de voir sa maîtresse dans une assemblée ; que, plus elle est admirée du public, plus on se trouve malheureux de n'en être point aimé ; que l'on craint tou-

---

1. *Maîtresse* : femme aimée.

jours que sa beauté ne fasse naître quelque amour plus heureux que le sien. Enfin il trouve qu'il n'y a point de souffrance pareille à celle de voir sa maîtresse au bal, si ce n'est de savoir qu'elle y est et de n'y être pas.»

Mme de Clèves ne faisait pas semblant [1] d'entendre ce que disait le prince de Condé; mais elle l'écoutait avec attention. Elle jugeait aisément quelle part elle avait à l'opinion que soutenait M. de Nemours et surtout à ce qu'il disait du chagrin de n'être pas au bal où était sa maîtresse, parce qu'il ne devait pas être à celui du maréchal de Saint-André, et que le roi l'envoyait au-devant du duc de Ferrare.

La reine dauphine riait avec le prince de Condé, et n'approuvait pas l'opinion de M. de Nemours.

«Il n'y a qu'une occasion, Madame, lui dit ce prince, où M. de Nemours consente que sa maîtresse aille au bal, c'est alors que c'est lui qui le donne; et il dit que, l'année passée, qu'il en donna un à Votre Majesté, il trouva que sa maîtresse lui faisait une faveur d'y venir, quoiqu'elle ne semblât que vous y suivre; que c'est toujours faire une grâce à un amant que d'aller prendre sa part d'un plaisir qu'il donne; que c'est aussi une chose agréable pour l'amant, que sa maîtresse le voie le maître d'un lieu où est toute la cour, et qu'elle le voie se bien acquitter d'en faire les honneurs.

– M. de Nemours avait raison, dit la reine dauphine en souriant, d'approuver que sa maîtresse allât au bal. Il y avait alors un si grand nombre de femmes à qui il donnait cette qualité que, si elles n'y fussent point venues, il y aurait eu peu de monde.»

Sitôt que le prince de Condé avait commencé à conter les sentiments de M. de Nemours sur le bal, Mme de Clèves avait senti une grande envie de ne point aller à celui du maréchal de Saint-André. Elle entra aisément dans l'opinion qu'il ne fallait pas aller chez un homme dont on était aimée, et elle fut bien aise d'avoir une raison de sévérité pour faire une chose qui était une faveur

---

1. *Ne faisait pas semblant* : faisait semblant de ne pas.

pour M. de Nemours ; elle emporta néanmoins la parure que lui avait donnée la reine dauphine ; mais, le soir, lorsqu'elle la montra à sa mère, elle lui dit qu'elle n'avait pas dessein de s'en servir, que le maréchal de Saint-André prenait tant de soin de faire voir qu'il était attaché à elle qu'elle ne doutait point qu'il ne voulût aussi faire croire qu'elle aurait part au divertissement qu'il devait donner au roi et que, sous prétexte de faire l'honneur de chez lui, il lui rendrait des soins dont peut-être elle serait embarrassée.

Mme de Chartres combattit quelque temps l'opinion de sa fille, comme la trouvant particulière [1] ; mais, voyant qu'elle s'y opiniâtrait [2], elle s'y rendit, et lui dit qu'il fallait donc qu'elle fît la malade pour avoir un prétexte de n'y pas aller, parce que les raisons qui l'en empêchaient ne seraient pas approuvées et qu'il fallait même empêcher qu'on ne les soupçonnât. Mme de Clèves consentit volontiers à passer quelques jours chez elle, pour ne point aller dans un lieu où M. de Nemours ne devait pas être ; et il partit sans avoir le plaisir de savoir qu'elle n'irait pas.

Il revint le lendemain du bal ; il sut qu'elle ne s'y était pas trouvée ; mais, comme il ne savait pas que l'on eût redit devant elle la conversation de chez le roi dauphin, il était bien éloigné de croire qu'il fût assez heureux pour l'avoir empêchée d'y aller.

Le lendemain, comme il était chez la reine et qu'il parlait à Mme la dauphine, Mme de Chartres et Mme de Clèves y vinrent et s'approchèrent de cette princesse. Mme de Clèves était un peu négligée, comme une personne qui s'était trouvée mal ; mais son visage ne répondait pas à son habillement.

«Vous voilà si belle, lui dit Mme la dauphine, que je ne saurais croire que vous ayez été malade. Je pense que M. le prince de Condé, en vous contant l'avis de M. de Nemours sur le bal, vous a persuadée que vous feriez une faveur au maréchal de Saint-André d'aller chez lui et que c'est ce qui vous a empêchée d'y venir.»

---

1. *Particulière* : étrange.
2. *S'y opiniâtrait* : s'y entêtait.

Mme de Clèves rougit de ce que Mme la dauphine devinait si juste et de ce qu'elle disait devant M. de Nemours ce qu'elle avait deviné.

Mme de Chartres vit dans ce moment pourquoi sa fille n'avait pas voulu aller au bal ; et, pour empêcher que M. de Nemours ne le jugeât aussi bien qu'elle, elle prit la parole avec un air qui semblait être appuyé sur la vérité.

« Je vous assure, Madame, dit-elle à Mme la dauphine, que Votre Majesté fait plus d'honneur à ma fille qu'elle n'en mérite. Elle était véritablement malade ; mais je crois que, si je ne l'en eusse empêchée, elle n'eût pas laissé de vous suivre et de se montrer aussi changée qu'elle était, pour avoir le plaisir de voir tout ce qu'il y a eu d'extraordinaire au divertissement d'hier au soir. »

Mme la dauphine crut ce que disait Mme de Chartres, M. de Nemours fut bien fâché d'y trouver de l'apparence [1] ; néanmoins la rougeur de Mme de Clèves lui fit soupçonner que ce que Mme la dauphine avait dit n'était pas entièrement éloigné de la vérité. Mme de Clèves avait d'abord été fâchée que M. de Nemours eût eu lieu de croire que c'était lui qui l'avait empêchée d'aller chez le maréchal de Saint-André ; mais ensuite elle sentit quelque espèce de chagrin que sa mère lui en eût entièrement ôté l'opinion.

Quoique l'assemblée de Cercamp [2] eût été rompue, les négociations pour la paix avaient toujours continué et les choses s'y disposèrent d'une telle sorte que, sur la fin de février, on se rassembla à Cateau-Cambrésis. Les mêmes députés y retournèrent ; et l'absence du maréchal de Saint-André défit M. de Nemours du rival qui lui était plus redoutable, par l'attention qu'il avait à observer ceux qui approchaient Mme de Clèves et par le progrès qu'il pouvait faire auprès d'elle.

Mme de Chartres n'avait pas voulu laisser voir à sa fille qu'elle connaissait ses sentiments pour ce prince, de peur de se rendre

---

1. *Apparence* : vraisemblance.
2. Voir p. 41.

suspecte sur les choses qu'elle avait envie de lui dire. Elle se mit un jour à parler de lui ; elle lui en dit du bien et y mêla beaucoup de louanges empoisonnées sur la sagesse qu'il avait d'être incapable de devenir amoureux et sur ce qu'il ne se faisait qu'un plaisir et non pas un attachement sérieux du commerce des femmes. «Ce n'est pas, ajouta-t-elle, que l'on ne l'ait soupçonné d'avoir une grande passion pour la reine dauphine ; je vois même qu'il y va très souvent, et je vous conseille d'éviter autant que vous pourrez de lui parler, et surtout en particulier [1], parce que, Mme la dauphine vous traitant comme elle fait, on dirait bientôt que vous êtes leur confidente, et vous savez combien cette réputation est désagréable. Je suis d'avis, si ce bruit continue, que vous alliez un peu moins chez Mme la dauphine, afin de ne vous pas trouver mêlée dans des aventures de galanterie.»

Mme de Clèves n'avait jamais ouï parler de M. de Nemours et de Mme la dauphine ; elle fut si surprise de ce que lui dit sa mère, et elle crut si bien voir combien elle s'était trompée dans tout ce qu'elle avait pensé des sentiments de ce prince, qu'elle en changea de visage. Mme de Chartres s'en aperçut : il vint du monde dans ce moment, Mme de Clèves s'en alla chez elle et s'enferma dans son cabinet [2].

L'on ne peut exprimer la douleur qu'elle sentit de connaître, par ce que lui venait de dire sa mère, l'intérêt qu'elle prenait à M. de Nemours : elle n'avait encore osé se l'avouer à elle-même. Elle vit alors que les sentiments qu'elle avait pour lui étaient ceux que M. de Clèves lui avait tant demandés ; elle trouva combien il était honteux de les avoir pour un autre que pour un mari qui les méritait. Elle se sentit blessée et embarrassée de la crainte que M. de Nemours ne la voulût faire servir de prétexte à Mme la dauphine et cette pensée la détermina à conter à Mme de Chartres ce qu'elle ne lui avait point encore dit.

---

1. *En particulier* : en privé.
2. *Cabinet* : lieu où l'on se retire pour converser en privé.

1180   Elle alla le lendemain matin dans sa chambre pour exécuter
ce qu'elle avait résolu; mais elle trouva que Mme de Chartres
avait un peu de fièvre, de sorte qu'elle ne voulut pas lui parler. Ce
mal paraissait néanmoins si peu de chose que Mme de Clèves ne
laissa pas d'aller l'après-dînée chez Mme la dauphine. Elle était
1185 dans son cabinet avec deux ou trois dames qui étaient le plus
avant dans sa familiarité.

«Nous parlions de M. de Nemours, lui dit cette reine en la
voyant, et nous admirions combien il est changé depuis son
retour de Bruxelles. Devant que d'y aller [1], il avait un nombre
1190 infini de maîtresses, et c'était même un défaut en lui; car il ména-
geait également celles qui avaient du mérite et celles qui n'en
avaient pas. Depuis qu'il est revenu, il ne connaît ni les unes ni
les autres; il n'y a jamais eu un si grand changement; je trouve
même qu'il y en a dans son humeur, et qu'il est moins gai que
1195 de coutume.»

Mme de Clèves ne répondit rien; et elle pensait avec honte
qu'elle aurait pris tout ce que l'on disait du changement de ce
prince pour des marques de sa passion si elle n'avait point été
détrompée. Elle se sentait quelque aigreur contre Mme la dau-
1200 phine de lui voir chercher des raisons et s'étonner d'une chose
dont apparemment elle savait mieux la vérité que personne. Elle
ne put s'empêcher de lui en témoigner quelque chose; et, comme
les autres dames s'éloignèrent, elle s'approcha d'elle et lui dit
tout bas:

1205 «Est-ce aussi pour moi, Madame, que vous venez de parler, et
voudriez-vous me cacher que vous fussiez celle qui a fait changer
de conduite à M. de Nemours?

– Vous êtes injuste, lui dit Mme la dauphine, vous savez que
je n'ai rien de caché pour vous. Il est vrai que M. de Nemours,
1210 devant que d'aller à Bruxelles, a eu, je crois, intention de me
laisser entendre qu'il ne me haïssait pas; mais, depuis qu'il est

---

1. *Devant que d'y aller* : avant d'y aller.

revenu, il ne m'a pas même paru qu'il se souvînt des choses qu'il avait faites, et j'avoue que j'ai de la curiosité de savoir ce qui l'a fait changer. Il sera bien difficile que je ne le démêle, ajouta-
1215 t-elle ; le vidame de Chartres, qui est son ami intime, est amoureux d'une personne sur qui j'ai quelque pouvoir, et je saurai par ce moyen ce qui a fait ce changement.»

Mme la dauphine parla d'un air[1] qui persuada Mme de Clèves, et elle se trouva malgré elle dans un état plus calme et
1220 plus doux que celui où elle était auparavant.

Lorsqu'elle revint chez sa mère, elle sut qu'elle était beaucoup plus mal qu'elle ne l'avait laissée. La fièvre lui avait redoublé et, les jours suivants, elle augmenta de telle sorte qu'il parut que ce serait une maladie considérable. Mme de Clèves était dans une
1225 affliction extrême ; elle ne sortait point de la chambre de sa mère ; M. de Clèves y passait aussi presque tous les jours, et par l'intérêt qu'il prenait à Mme de Chartres, et pour empêcher sa femme de s'abandonner à la tristesse, mais pour avoir aussi le plaisir de la voir ; sa passion n'était point diminuée.

1230 M. de Nemours, qui avait toujours eu beaucoup d'amitié pour lui, n'avait pas cessé de lui en témoigner depuis son retour de Bruxelles. Pendant la maladie de Mme de Chartres, ce prince trouva le moyen de voir plusieurs fois Mme de Clèves en faisant semblant de chercher son mari ou de le venir prendre pour le
1235 mener promener. Il le cherchait même à des heures où il savait bien qu'il n'y était pas et, sous le prétexte de l'attendre, il demeurait dans l'antichambre de Mme de Chartres, où il y avait toujours plusieurs personnes de qualité. Mme de Clèves y venait souvent et, pour être affligée, elle n'en paraissait pas moins belle à M. de
1240 Nemours. Il lui faisait voir combien il prenait d'intérêt à son affliction et il lui en parlait avec un air si doux et si soumis qu'il la persuadait aisément que ce n'était pas de Mme la dauphine dont il était amoureux.

---

1. *Air* : ici, ton.

Elle ne pouvait s'empêcher d'être troublée de sa vue, et d'avoir
1245 pourtant du plaisir à le voir ; mais quand elle ne le voyait plus, et
qu'elle pensait que ce charme qu'elle trouvait dans sa vue était le
commencement des passions, il s'en fallait peu qu'elle ne crût le
haïr par la douleur que lui donnait cette pensée.

Mme de Chartres empira si considérablement que l'on com-
1250 mença à désespérer de sa vie ; elle reçut ce que les médecins lui
dirent du péril où elle était avec un courage digne de sa vertu et
de sa piété. Après qu'ils furent sortis, elle fit retirer tout le monde
et appeler Mme de Clèves.

«Il faut nous quitter, ma fille, lui dit-elle, en lui tendant la
1255 main ; le péril où je vous laisse, et le besoin que vous avez de
moi augmentent le déplaisir que j'ai de vous quitter. Vous avez de
l'inclination pour M. de Nemours ; je ne vous demande point de
me l'avouer : je ne suis plus en état de me servir de votre sincérité
pour vous conduire. Il y a déjà longtemps que je me suis aper-
1260 çue de cette inclination ; mais je ne vous en ai pas voulu parler
d'abord, de peur de vous en faire apercevoir vous-même. Vous
ne la connaissez que trop présentement ; vous êtes sur le bord
du précipice : il faut de grands efforts et de grandes violences
pour vous retenir. Songez ce que vous devez à votre mari ; songez
1265 ce que vous vous devez à vous-même, et pensez que vous allez
perdre cette réputation que vous vous êtes acquise et que je vous
ai tant souhaitée. Ayez de la force et du courage, ma fille, retirez-
vous de la cour, obligez votre mari de vous emmener ; ne craignez
point de prendre des partis trop rudes et trop difficiles, quelque
1270 affreux qu'ils vous paraissent d'abord : ils seront plus doux dans
les suites que les malheurs d'une galanterie. Si d'autres raisons
que celles de la vertu et de votre devoir vous pouvaient obliger à
ce que je souhaite, je vous dirais que, si quelque chose était capable de troubler le bonheur que j'espère en sortant de ce monde,
1275 ce serait de vous voir tomber comme les autres femmes ; mais, si
ce malheur vous doit arriver, je reçois la mort avec joie, pour n'en
être pas le témoin.»

Mme de Clèves fondait en larmes sur la main de sa mère, qu'elle tenait serrée entre les siennes, et Mme de Chartres se sentant touchée elle-même :

«Adieu, ma fille, lui dit-elle, finissons une conversation qui nous attendrit trop l'une et l'autre, et souvenez-vous, si vous pouvez, de tout ce que je viens de vous dire.»

Elle se tourna de l'autre côté en achevant ces paroles, et commanda à sa fille d'appeler ses femmes, sans vouloir l'écouter ni parler davantage. Mme de Clèves sortit de la chambre de sa mère en l'état que l'on peut s'imaginer, et Mme de Chartres ne songea plus qu'à se préparer à la mort. Elle vécut encore deux jours, pendant lesquels elle ne voulut plus revoir sa fille, qui était la seule chose à quoi elle se sentait attachée.

Mme de Clèves était dans une affliction extrême ; son mari ne la quittait point et, sitôt que Mme de Chartres fut expirée, il l'emmena à la campagne, pour l'éloigner d'un lieu qui ne faisait qu'aigrir [1] sa douleur. On n'en a jamais vu de pareille ; quoique la tendresse et la reconnaissance y eussent la plus grande part, le besoin qu'elle sentait qu'elle avait de sa mère pour se défendre contre M. de Nemours ne laissait pas d'y en avoir beaucoup. Elle se trouvait malheureuse d'être abandonnée à elle-même, dans un temps où elle était si peu maîtresse de ses sentiments et où elle eût tant souhaité d'avoir quelqu'un qui pût la plaindre et lui donner de la force. La manière dont M. de Clèves en usait pour elle lui faisait souhaiter plus fortement que jamais de ne manquer à rien de ce qu'elle lui devait. Elle lui témoignait aussi plus d'amitié et plus de tendresse qu'elle n'avait encore fait ; elle ne voulait point qu'il la quittât, et il lui semblait qu'à force de s'attacher à lui, il la défendrait contre M. de Nemours.

Ce prince vint voir M. de Clèves à la campagne ; il fit ce qu'il put pour rendre aussi une visite à Mme de Clèves ; mais elle ne le voulut point recevoir et, sentant bien qu'elle ne pouvait s'em-

---

1. *Aigrir* : accentuer.

1310 pêcher de le trouver aimable [1], elle avait fait une forte résolution de s'empêcher de le voir et d'en éviter toutes les occasions qui dépendraient d'elle.

M. de Clèves vint à Paris pour faire sa cour et promit à sa femme de s'en retourner le lendemain ; il ne revint néanmoins 1315 que le jour d'après.

« Je vous attendis tout hier, lui dit Mme de Clèves lorsqu'il arriva ; et je vous dois faire des reproches de n'être pas venu comme vous me l'aviez promis. Vous savez que, si je pouvais sentir une nouvelle affliction en l'état où je suis, ce serait la mort 1320 de Mme de Tournon, que j'ai apprise ce matin. J'en aurais été touchée quand je ne l'aurais point connue ; c'est toujours une chose digne de pitié qu'une femme jeune et belle comme celle-là soit morte en deux jours ; mais, de plus, c'était une des personnes du monde qui me plaisait davantage et qui paraissait avoir autant 1325 de sagesse que de mérite.

– Je fus très fâché de ne pas revenir hier, répondit M. de Clèves ; mais j'étais si nécessaire à la consolation d'un malheureux qu'il m'était impossible de le quitter. Pour Mme de Tournon, je ne vous conseille pas d'en être affligée, si vous la regrettez comme une 1330 femme pleine de sagesse, et digne de votre estime.

– Vous m'étonnez, reprit Mme de Clèves, et je vous ai ouï dire plusieurs fois qu'il n'y avait point de femme à la cour que vous estimassiez davantage.

– Il est vrai, répondit-il, mais les femmes sont incompréhensi-1335 bles ; et, quand je les vois toutes, je me trouve si heureux de vous avoir que je ne saurais assez admirer mon bonheur.

– Vous m'estimez plus que je ne vaux, répliqua Mme de Clèves en soupirant, et il n'est pas encore temps de me trouver digne de vous. Apprenez-moi, je vous en supplie, ce qui vous a détrompé 1340 de Mme de Tournon.

---

1. Aimable : digne d'être aimé.

– Il y a longtemps que je le suis, répliqua-t-il, et que je sais qu'elle aimait le comte de Sancerre, à qui elle donnait des espérances de l'épouser.

– Je ne saurais croire, interrompit Mme de Clèves, que Mme de
1345 Tournon, après cet éloignement si extraordinaire qu'elle a témoigné pour le mariage depuis qu'elle est veuve, et après les déclarations publiques qu'elle a faites de ne se remarier jamais, ait donné des espérances à Sancerre.

– Si elle n'en eût donné qu'à lui, répliqua M. de Clèves, il
1350 ne faudrait pas s'étonner ; mais ce qu'il y a de surprenant, c'est qu'elle en donnait aussi à Estouteville dans le même temps ; et je vais vous apprendre toute cette histoire. »

DEUXIÈME PARTIE [1]

«Vous savez l'amitié qu'il y a entre Sancerre et moi; néanmoins il devint amoureux de Mme de Tournon il y a environ deux ans, et me le cacha avec beaucoup de soin, aussi bien qu'à tout le reste du monde. J'étais bien éloigné de le soupçonner. Mme de
5 Tournon paraissait encore inconsolable de la mort de son mari et vivait dans une retraite [2] austère. La sœur de Sancerre était quasi la seule personne qu'elle vît, et c'était chez elle qu'il en était devenu amoureux.

«Un soir qu'il devait y avoir une comédie [3] au Louvre et
10 que l'on n'attendait plus que le roi et Mme de Valentinois pour commencer, l'on vint dire qu'elle s'était trouvée mal, et que le roi ne viendrait pas. On jugea aisément que le mal de cette duchesse était quelque démêlé avec le roi. Nous savions les jalousies qu'il avait eues du maréchal de Brissac pendant qu'il avait été à la
15 cour; mais il était retourné en Piémont depuis quelques jours, et nous ne pouvions imaginer le sujet de cette brouillerie.

«Comme j'en parlais avec Sancerre, M. d'Anville arriva dans la salle et me dit tout bas que le roi était dans une affliction et dans une colère qui faisaient pitié; qu'en un raccommodement
20 qui s'était fait entre lui et Mme de Valentinois il y avait quelques

---

1. La deuxième partie s'ouvre sur la deuxième digression du roman.
2. *Retraite* : solitude, action de se retirer de la vie mondaine.
3. *Comédie* : pièce de théâtre.

jours, sur des démêlés qu'ils avaient eus pour le maréchal de Brissac, le roi lui avait donné une bague et l'avait priée de la porter ; que, pendant qu'elle s'habillait pour venir à la comédie, il avait remarqué qu'elle n'avait point cette bague, et lui en avait
25 demandé la raison ; qu'elle avait paru étonnée de ne la pas avoir, qu'elle l'avait demandée à ses femmes, lesquelles par malheur, ou faute d'être bien instruites, avaient répondu qu'il y avait quatre ou cinq jours qu'elles ne l'avaient vue.

«"Ce temps est précisément celui du départ du maréchal de
30 Brissac, continua M. d'Anville ; le roi n'a point douté qu'elle ne lui ait donné la bague en lui disant adieu. Cette pensée a réveillé si vivement toute cette jalousie, qui n'était pas encore bien éteinte, qu'il s'est emporté contre son ordinaire [1] et lui a fait mille reproches. Il vient de rentrer chez lui très affligé ; mais je ne sais s'il
35 l'est davantage de l'opinion que Mme de Valentinois a sacrifié sa bague que de la crainte de lui avoir déplu par sa colère."

«Sitôt que M. d'Anville eut achevé de me conter cette nouvelle, je me rapprochai de Sancerre pour la lui apprendre ; je la lui dis comme un secret que l'on venait de me confier et dont je
40 lui défendais de parler.

«Le lendemain matin, j'allai d'assez bonne heure chez ma belle-sœur ; je trouvai Mme de Tournon au chevet de son lit. Elle n'aimait pas Mme de Valentinois, et elle savait bien que ma belle-sœur n'avait pas sujet de s'en louer. Sancerre avait été chez elle
45 au sortir de la comédie. Il lui avait appris la brouillerie du roi avec cette duchesse, et Mme de Tournon était venue la conter à ma belle-sœur, sans savoir ou sans faire réflexion [2] que c'était moi qui l'avait apprise à son amant.

«Sitôt que je m'approchai de ma belle-sœur, elle dit à Mme de
50 Tournon que l'on pouvait me confier ce qu'elle venait de lui dire et, sans attendre la permission de Mme de Tournon, elle me conta

---

1. *Contre son ordinaire* : contrairement à ses habitudes.
2. *Faire réflexion* : faire attention.

mot pour mot tout ce que j'avais dit à Sancerre le soir précédent.
Vous pouvez juger comme j'en fus étonné. Je regardai Mme de
Tournon ; elle me parut embarrassée. Son embarras me donna du
55 soupçon ; je n'avais dit la chose qu'à Sancerre, il m'avait quitté
au sortir de la comédie sans m'en dire la raison ; je me souvins
de lui avoir ouï extrêmement louer Mme de Tournon. Toutes ces
choses m'ouvrirent les yeux, et je n'eus pas de peine à démêler
qu'il avait une galanterie avec elle et qu'il l'avait vue depuis qu'il
60 m'avait quitté.

« Je fus si piqué[1] de voir qu'il me cachait cette aventure que
je dis plusieurs choses qui firent connaître à Mme de Tournon
l'imprudence qu'elle avait faite ; je la remis à son carrosse et je
l'assurai, en la quittant, que j'enviais le bonheur de celui qui lui
65 avait appris la brouillerie du roi et de Mme de Valentinois.

« Je m'en allai à l'heure même trouver Sancerre, je lui fis des
reproches et je lui dis que je savais sa passion pour Mme de
Tournon, sans lui dire comment je l'avais découverte. Il fut
contraint de me l'avouer ; je lui contai ensuite ce qui me l'avait
70 apprise, et il m'apprit aussi le détail de leur aventure ; il me dit
que, quoiqu'il fût cadet de sa maison, et très éloigné de pouvoir
prétendre un aussi bon parti, que néanmoins elle était résolue
de l'épouser. L'on ne peut être plus surpris que je le fus. Je dis
à Sancerre de presser la conclusion de son mariage, et qu'il n'y
75 avait rien qu'il ne dût craindre d'une femme qui avait l'artifice
de soutenir aux yeux du public un personnage si éloigné de la
vérité. Il me répondit qu'elle avait été véritablement affligée, mais
que l'inclination qu'elle avait eue pour lui avait surmonté cette
affliction, et qu'elle n'avait pu laisser paraître tout d'un coup un si
80 grand changement. Il me dit encore plusieurs autres raisons pour
l'excuser, qui me firent voir à quel point il en était amoureux.
Il m'assura qu'il la ferait consentir que je susse la passion qu'il
avait pour elle, puisque aussi bien c'était elle-même qui me l'avait

---

1. **Piqué** : vexé.

apprise. Il l'y obligea en effet, quoique avec beaucoup de peine,
85 et je fus ensuite très avant dans leur confidence.

«Je n'ai jamais vu une femme avoir une conduite si honnête et si agréable à l'égard de son amant ; néanmoins j'étais
toujours choqué de son affectation [1] à paraître encore affligée.
Sancerre était si amoureux et si content de la manière dont elle
90 en usait pour lui qu'il n'osait quasi la presser de conclure leur
mariage, de peur qu'elle ne crût qu'il le souhaitait plutôt par
intérêt que par une véritable passion. Il lui en parla toutefois, et
elle lui parut résolue à l'épouser ; elle commença même à quitter
cette retraite où elle vivait, et à se remettre dans le monde. Elle
95 venait chez ma belle-sœur à des heures où une partie de la cour
s'y trouvait. Sancerre n'y venait que rarement ; mais ceux qui y
étaient tous les soirs, et qui l'y voyaient souvent, la trouvaient
très aimable.

«Peu de temps après qu'elle eut commencé à quitter la soli-
100 tude, Sancerre crut voir quelque refroidissement dans la passion
qu'elle avait pour lui. Il m'en parla plusieurs fois, sans que je fisse
aucun fondement sur ses plaintes ; mais à la fin, comme il me dit
qu'au lieu d'achever leur mariage, elle semblait l'éloigner, je commençai à croire qu'il n'avait pas de tort d'avoir de l'inquiétude.
105 Je lui répondis que, quand la passion de Mme de Tournon dimi-
nuerait après avoir duré deux ans, il ne faudrait pas s'en étonner ;
que quand même, sans être diminuée, elle ne serait pas assez forte
pour l'obliger à l'épouser, qu'il ne devrait pas s'en plaindre ; que
ce mariage, à l'égard du public, lui ferait un extrême tort, non
110 seulement parce qu'il n'était pas un assez bon parti pour elle,
mais par le préjudice qu'il apporterait à sa réputation ; qu'ainsi
tout ce qu'il pouvait souhaiter était qu'elle ne le trompât point et
qu'elle ne lui donnât pas de fausses espérances. Je lui dis encore
que, si elle n'avait pas la force de l'épouser, ou qu'elle lui avouât
115 qu'elle en aimait quelque autre, il ne fallait point qu'il s'empor-

---

1. *Affectation* : fait de feindre, simulation.

tât, ni qu'il se plaignît ; mais qu'il devrait conserver pour elle de l'estime et de la reconnaissance.

« Je vous donne, lui dis-je, le conseil que je prendrais pour moi-même ; car la sincérité me touche d'une telle sorte, que je
120 crois que si ma maîtresse, et même ma femme, m'avouait que quelqu'un lui plût, j'en serais affligé sans en être aigri. Je quitterais le personnage d'amant ou de mari, pour la conseiller et pour la plaindre [1]. »

Ces paroles firent rougir Mme de Clèves, et elle y trouva un
125 certain rapport avec l'état où elle était, qui la surprit et qui lui donna un trouble dont elle fut longtemps à se remettre.

« Sancerre parla à Mme de Tournon, continua M. de Clèves, il lui dit tout ce que je lui avais conseillé ; mais elle le rassura avec tant de soin et parut si offensée de ses soupçons qu'elle les
130 lui ôta entièrement. Elle remit néanmoins leur mariage après un voyage qu'il allait faire et qui devait être assez long ; mais elle se conduisit si bien jusqu'à son départ et en parut si affligée que je crus, aussi bien que lui, qu'elle l'aimait véritablement. Il partit il y a environ trois mois ; pendant son absence, j'ai peu vu Mme de
135 Tournon : vous m'avez entièrement occupé et je savais seulement qu'il devait bientôt revenir.

« Avant-hier, en arrivant à Paris, j'appris qu'elle était morte ; j'envoyai savoir chez lui si on n'avait point eu de ses nouvelles. On me manda qu'il était arrivé de la veille, qui était précisément
140 le jour de la mort de Mme de Tournon. J'allai le voir à l'heure même, me doutant bien de l'état où je le trouverais ; mais son affliction passait de beaucoup ce que je m'en étais imaginé.

« Je n'ai jamais vu une douleur si profonde et si tendre ; dès le moment qu'il me vit, il m'embrassa, fondant en larmes : "Je ne la
145 verrai plus, me dit-il, je ne la verrai plus, elle est morte ! Je n'en étais pas digne, mais je la suivrai bientôt." »

---

1. Cette remarque prépare la scène de l'aveu de Mme de Clèves à son mari (p. 141).

«Après cela il se tut ; et puis, de temps en temps redisant toujours : "Elle est morte, et je ne la verrai plus !" il revenait aux cris et aux larmes, et demeurait comme un homme qui n'avait plus de raison. Il me dit qu'il n'avait pas reçu souvent de ses lettres pendant son absence, mais qu'il ne s'en était pas étonné, parce qu'il la connaissait et qu'il savait la peine qu'elle avait à hasarder de ses lettres. Il ne doutait point qu'il ne l'eût épousée à son retour ; il la regardait comme la plus aimable et la plus fidèle personne qui eût jamais été, il s'en croyait tendrement aimé ; il la perdait dans le moment qu'il pensait s'attacher à elle pour jamais. Toutes ces pensées le plongeaient dans une affliction violente dont il était entièrement accablé ; et j'avoue que je ne pouvais m'empêcher d'en être touché.

«Je fus néanmoins contraint de le quitter pour aller chez le roi ; je lui promis que je reviendrais bientôt. Je revins en effet, et je ne fus jamais si surpris que de le trouver tout différent de ce que je l'avais quitté. Il était debout dans sa chambre, avec un visage furieux, marchant et s'arrêtant comme s'il eût été hors de lui-même. "Venez, venez, me dit-il, venez voir l'homme du monde le plus désespéré ; je suis plus malheureux mille fois que je n'étais tantôt, et ce que je viens d'apprendre de Mme de Tournon est pire que sa mort."

«Je crus que la douleur le troublait entièrement et je ne pouvais m'imaginer qu'il y eût quelque chose de pire que la mort d'une maîtresse que l'on aime et dont on est aimé. Je lui dis que, tant que son affliction avait eu des bornes, je l'avais approuvée, et que j'y étais entré ; mais que je ne le plaindrais plus s'il s'abandonnait au désespoir et s'il perdait la raison.

«Je serais trop heureux de l'avoir perdue, et la vie aussi, s'écria-t-il : Mme de Tournon m'était infidèle, et j'apprends son infidélité et sa trahison le lendemain que j'ai appris sa mort, dans un temps où mon âme est remplie et pénétrée de [1] la plus vive

---

1. _Pénétrée de_ : touchée par.

douleur et de la plus tendre amour[1] que l'on ait jamais senties;
dans un temps où son idée est dans mon cœur comme la plus
parfaite chose qui ait jamais été, et la plus parfaite à mon égard;
je trouve que je suis trompé et qu'elle ne mérite pas que je la
pleure; cependant j'ai la même affliction de sa mort que si elle
m'était fidèle et je sens son infidélité comme si elle n'était point
morte. Si j'avais appris son changement avant sa mort, la jalousie, la colère, la rage m'auraient rempli, et m'auraient endurci en
quelque sorte contre la douleur de sa perte; mais je suis dans un
état où je ne puis ni m'en consoler, ni la haïr."

«Vous pouvez juger si je fus surpris de ce que me disait
Sancerre; je lui demandai comment il avait su ce qu'il venait de
me dire. Il me conta qu'un moment après que j'étais sorti de sa
chambre, Estouteville, qui est son ami intime, mais qui ne savait
pourtant rien de son amour pour Mme de Tournon, l'était venu
voir; que d'abord qu'il avait été assis, il avait commencé à pleu-
rer, et qu'il lui avait dit qu'il lui demandait pardon de lui avoir
caché ce qu'il lui allait apprendre; qu'il le priait d'avoir pitié de
lui; qu'il venait lui ouvrir son cœur, et qu'il voyait l'homme du
monde le plus affligé de la mort de Mme de Tournon.

«"Ce nom, me dit Sancerre, m'a tellement surpris que, quoique mon premier mouvement ait été de lui dire que j'en étais plus
affligé que lui, je n'ai pas eu néanmoins la force de parler. Il a
continué, et m'a dit qu'il était amoureux d'elle depuis six mois;
qu'il avait toujours voulu me le dire, mais qu'elle le lui avait
défendu expressément et avec tant d'autorité qu'il n'avait osé
lui désobéir; qu'il lui avait plu quasi dans le même temps qu'il
l'avait aimée; qu'ils avaient caché leur passion à tout le monde;
qu'il n'avait jamais été chez elle publiquement; qu'il avait eu le
plaisir de la consoler de la mort de son mari; et qu'enfin il l'allait
épouser dans le temps qu'elle était morte; mais que ce mariage,
qui était un effet de passion, aurait paru un effet de devoir et

1. Le mot est encore possiblement féminin au singulier au XVIIᵉ siècle.

d'obéissance ; qu'elle avait gagné son père pour se faire comman-
der de l'épouser, afin qu'il n'y eût pas un trop grand changement
dans sa conduite, qui avait été si éloignée de se remarier.

« "Tant qu'Estouteville m'a parlé, me dit Sancerre, j'ai ajouté foi
215 à ses paroles, parce que j'y ai trouvé de la vraisemblance, et que le
temps où il m'a dit qu'il avait commencé à aimer Mme de Tournon
est précisément celui où elle m'a paru changée ; mais un moment
après, je l'ai cru un menteur, ou du moins un visionnaire [1]. J'ai
été prêt à le lui dire, j'ai passé ensuite à [2] vouloir m'éclaircir, je
220 l'ai questionné, je lui ai fait paraître des doutes. Enfin j'ai tant fait
pour m'assurer de mon malheur qu'il m'a demandé si je connais-
sais l'écriture de Mme de Tournon. Il a mis sur mon lit quatre de
ses lettres, et son portrait ; mon frère est entré dans ce moment.
Estouteville avait le visage si plein de larmes qu'il a été contraint
225 de sortir pour ne se pas laisser voir ; il m'a dit qu'il reviendrait
ce soir requérir [3] ce qu'il me laissait ; et moi je chassai mon frère,
sur le prétexte de me trouver mal, par l'impatience de voir ces
lettres que l'on m'avait laissées, et espérant d'y trouver quelque
chose qui ne me persuaderait pas tout ce qu'Estouteville venait
230 de me dire. Mais hélas ! que n'y ai-je point trouvé ? Quelle tendresse ! quels serments ! quelles assurances de l'épouser ! quelles
lettres ! Jamais elle ne m'en a écrit de semblables. Ainsi, ajouta-
t-il, j'éprouve à la fois la douleur de la mort et celle de l'infidélité ;
ce sont deux maux que l'on a souvent comparés, mais qui n'ont
235 jamais été sentis en même temps par la même personne. J'avoue,
à ma honte, que je sens encore plus sa perte que son changement ; je ne puis la trouver assez coupable pour consentir à sa
mort. Si elle vivait, j'aurais le plaisir de lui faire des reproches, et
de me venger d'elle en lui faisant connaître son injustice. Mais
240 je ne la verrai plus, reprenait-il, je ne la verrai plus ; ce mal est

---

1. *Visionnaire* : fou.
2. *J'ai passé* [...] *à* : j'en suis venu à.
3. *Requérir* : reprendre.

le plus grand de tous les maux. Je souhaiterais de lui rendre la vie aux dépens de la mienne. Quel souhait ! Si elle revenait elle vivrait pour Estouteville. Que j'étais heureux hier ! s'écriait-il, que j'étais heureux ! j'étais l'homme du monde le plus affligé ; mais
245 mon affliction était raisonnable, et je trouvais quelque douceur à penser que je ne devais jamais me consoler. Aujourd'hui, tous mes sentiments sont injustes. Je paye à une passion feinte qu'elle a eue pour moi le même tribut de douleur que je croyais devoir à une passion véritable. Je ne puis ni haïr, ni aimer sa mémoire ;
250 je ne puis me consoler ni m'affliger. Du moins, me dit-il, en se retournant tout d'un coup vers moi, faites, je vous en conjure, que je ne voie jamais Estouteville ; son nom seul me fait horreur. Je sais bien que je n'ai nul sujet de m'en plaindre ; c'est ma faute de lui avoir caché que j'aimais Mme de Tournon ; s'il l'eût su, il ne
255 s'y serait peut-être pas attaché, elle ne m'aurait pas été infidèle ; il est venu me chercher pour me confier sa douleur ; il me fait pitié. Eh ! c'est avec raison, s'écriait-il ; il aimait Mme de Tournon, il en était aimé et il ne la verra jamais ; je sens bien néanmoins que je ne saurais m'empêcher de le haïr. Et encore une fois, je vous
260 conjure de faire en sorte que je ne le voie point."

    «Sancerre se remit ensuite à pleurer, à regretter Mme de Tournon, à lui parler, et à lui dire les choses du monde les plus tendres. Il repassa ensuite à la haine, aux plaintes, aux reproches et aux imprécations [1] contre elle. Comme je le vis dans un état
265 si violent, je connus bien qu'il me fallait quelque secours pour m'aider à calmer son esprit. J'envoyai quérir son frère, que je venais de quitter chez le roi ; j'allai lui parler dans l'antichambre avant qu'il entrât, et je lui contai l'état où était Sancerre. Nous donnâmes des ordres pour empêcher qu'il ne vît Estouteville, et
270 nous employâmes une partie de la nuit à tâcher de le rendre capable de raison. Ce matin je l'ai encore trouvé plus affligé ; son frère est demeuré auprès de lui, et je suis revenu auprès de vous.

---

1. *Imprécations* : souhaits de malheur contre quelqu'un.

– L'on ne peut être plus surprise que je le suis, dit alors Mme de Clèves, et je croyais Mme de Tournon incapable d'amour et de tromperie.

275 – L'adresse et la dissimulation, reprit M. de Clèves, ne peuvent aller plus loin qu'elle les a portées. Remarquez que quand Sancerre crut qu'elle était changée pour lui, elle l'était véritablement et qu'elle commençait à aimer Estouteville. Elle disait à ce
280 dernier qu'il la consolait de la mort de son mari, et que c'était lui qui était cause qu'elle quittait cette grande retraite ; et il paraissait à Sancerre que c'était parce que nous avions résolu qu'elle ne témoignerait plus d'être si affligée. Elle faisait valoir à Estouteville de cacher leur intelligence[1], et de paraître obligée à l'épouser par
285 le commandement de son père, comme un effet du soin[2] qu'elle avait de sa réputation ; et c'était pour abandonner Sancerre sans qu'il eût sujet de s'en plaindre. Il faut que je m'en retourne, continua M. de Clèves, pour voir ce malheureux et je crois qu'il faut que vous reveniez aussi à Paris. Il est temps que vous voyiez le
290 monde, et que vous receviez ce nombre infini de visites dont aussi bien vous ne sauriez vous dispenser. »

Mme de Clèves consentit à son retour et elle revint le lendemain. Elle se trouva plus tranquille sur M. de Nemours qu'elle n'avait été ; tout ce que lui avait dit Mme de Chartres en mourant,
295 et la douleur de sa mort, avaient fait une suspension à ses sentiments, qui lui faisait croire qu'ils étaient entièrement effacés.

Dès le même soir qu'elle fut arrivée, Mme la dauphine la vint voir, et après lui avoir témoigné la part qu'elle avait prise à son affliction, elle lui dit que, pour la détourner de ces tristes pensées,
300 elle voulait l'instruire de tout ce qui s'était passé à la cour en son absence ; elle lui conta ensuite plusieurs choses particulières.

« Mais ce que j'ai le plus d'envie de vous apprendre, ajouta-t-elle, c'est qu'il est certain que M. de Nemours est passionnément

---

1. *Intelligence* : relation.
2. *Soin* : souci.

amoureux, et que ses amis les plus intimes, non seulement ne
305 sont point dans sa confidence, mais qu'ils ne peuvent deviner
qui est la personne qu'il aime. Cependant cet amour est assez
fort pour lui faire négliger ou abandonner, pour mieux dire, les
espérances d'une couronne.»

Mme la dauphine conta ensuite tout ce qui s'était passé sur
310 l'Angleterre.

«J'ai appris ce que je viens de vous dire, continua-t-elle, de
M. d'Anville; et il m'a dit ce matin que le roi envoya quérir
hier au soir M. de Nemours, sur des lettres de Lignerolles, qui
demande à revenir, et qui écrit au roi qu'il ne peut plus soute-
315 nir auprès de la reine d'Angleterre les retardements [1] de M. de
Nemours; qu'elle commence à s'en offenser, et qu'encore qu'elle
n'eût point donné de parole positive, elle en avait assez dit pour
faire hasarder un voyage. Le roi lut cette lettre à M. de Nemours
qui, au lieu de parler sérieusement, comme il avait fait dans les
320 commencements, ne fit que rire, que badiner [2], et se moquer des
espérances de Lignerolles. Il dit que toute l'Europe condamnerait
son imprudence, s'il hasardait d'aller en Angleterre comme un
prétendu mari de la reine, sans être assuré du succès.

«"Il me semble aussi, ajouta-t-il, que je prendrais mal mon
325 temps de faire ce voyage présentement que le roi d'Espagne [3] fait
de si grandes instances [4] pour épouser cette reine. Ce ne serait
peut-être pas un rival bien redoutable dans une galanterie; mais
je pense que dans un mariage Votre Majesté ne me conseillerait
pas de lui disputer quelque chose.

330 – Je vous le conseillerais en cette occasion, reprit le roi; mais
vous n'aurez rien à lui disputer; je sais qu'il a d'autres pensées;
et, quand il n'en aurait pas, la reine Marie s'est trop mal trouvée

---

1. *Retardements* : retards.
2. *Badiner* : plaisanter avec légèreté.
3. Il s'agit de Philippe II qui, après la mort de Marie Tudor, en 1558, chercha
à épouser Élisabeth Ire, avant de s'unir à Élisabeth de France en 1559.
4. *Instances* : démarches.

du joug de l'Espagne pour croire que sa sœur le veuille reprendre et qu'elle se laisse éblouir à l'éclat de tant de couronnes jointes ensemble.

– Si elle ne s'en laisse pas éblouir, repartit M. de Nemours, il y a apparence qu'elle voudra se rendre heureuse par l'amour. Elle a aimé le Milord Courtenay il y a déjà quelques années. Il était aussi aimé de la reine Marie, qui l'aurait épousé, du consentement de toute l'Angleterre, sans qu'elle connut que la jeunesse et la beauté de sa sœur Élisabeth le touchaient davantage que l'espérance de régner. Votre Majesté sait que les violentes jalousies qu'elle en eut la portèrent à les mettre l'un et l'autre en prison, à exiler ensuite le Milord Courtenay, et la déterminèrent enfin à épouser le roi d'Espagne. Je crois qu'Élisabeth, qui est présentement sur le trône, rappellera bientôt ce milord, et qu'elle choisira un homme qu'elle a aimé, qui est fort aimable, qui a tant souffert pour elle, plutôt qu'un autre qu'elle n'a jamais vu.

– Je serais de votre avis, repartit le roi, si Courtenay vivait encore ; mais j'ai su depuis quelques jours qu'il est mort à Padoue [1], où il était relégué. Je vois bien, ajouta-t-il en quittant M. de Nemours, qu'il faudrait faire votre mariage comme on ferait celui de M. le dauphin, et envoyer épouser la reine d'Angleterre par des ambassadeurs [2]."

« M. d'Anville et M. le vidame, qui étaient chez le roi avec M. de Nemours, sont persuadés que c'est cette même passion dont il est occupé qui le détourne d'un si grand dessein. Le vidame, qui le voit de plus près que personne, a dit à Mme de Martigues que ce prince est tellement changé qu'il ne le reconnaît plus ; et ce qui l'étonne davantage, c'est qu'il ne lui voit aucun commerce, ni aucunes heures particulières où il se dérobe, en sorte qu'il croit qu'il n'a point d'intelligence avec la personne qu'il aime ; et c'est ce qui fait méconnaître

---

1. C'est en réalité en 1555 que Milord Courtenay expira à Padoue.
2. À l'époque, les mariages royaux se faisaient souvent par procuration.

M. de Nemours de lui voir aimer une femme qui ne répond point
365 à son amour.»

Quel poison pour Mme de Clèves que le discours de Mme la
dauphine! Le moyen de ne se pas reconnaître pour cette personne
dont on ne savait point le nom, et le moyen de n'être pas pénétrée
de reconnaissance et de tendresse, en apprenant, par une voie
370 qui ne lui pouvait être suspecte, que ce prince, qui touchait déjà
son cœur, cachait sa passion à tout le monde, et négligeait pour
l'amour d'elle les espérances d'une couronne? Aussi ne peut-on
représenter ce qu'elle sentit, et le trouble qui s'éleva dans son âme.
Si Mme la dauphine l'eût regardée avec attention, elle eût aisé-
375 ment remarqué que les choses qu'elle venait de dire ne lui étaient
pas indifférentes; mais, comme elle n'avait aucun soupçon de la
vérité, elle continua de parler, sans y faire de réflexion.

«M. d'Anville, ajouta-t-elle, qui, comme je vous viens de dire,
m'a appris tout ce détail, m'en croit mieux instruite que lui; et il
380 a une si grande opinion de mes charmes, qu'il est persuadé que je
suis la seule personne qui puisse faire de si grands changements
en M. de Nemours.»

Ces dernières paroles de Mme la dauphine donnèrent une
autre sorte de trouble à Mme de Clèves que celui qu'elle avait eu
385 quelques moments auparavant.

«Je serais aisément de l'avis de M. d'Anville, répondit-elle; et
il y a beaucoup d'apparence, Madame, qu'il ne faut pas moins
qu'une princesse telle que vous pour faire mépriser la reine d'Angleterre.
390 – Je vous l'avouerais si je le savais, repartit Mme la dauphine,
et je le saurais s'il était véritable. Ces sortes de passions n'échap-
pent point à la vue de celles qui les causent; elles s'en aperçoivent
les premières. M. de Nemours ne m'a jamais témoigné que de
légères complaisances, mais il y a néanmoins une si grande dif-
395 férence de la manière dont il a vécu avec moi à celle dont il y
vit présentement que je puis vous répondre que je ne suis pas la
cause de l'indifférence qu'il a pour la couronne d'Angleterre.

« Je m'oublie avec vous, ajouta Mme la dauphine, et je ne me souviens pas qu'il faut que j'aille voir Madame. Vous savez que la paix est quasi conclue[1] ; mais vous ne savez pas que le roi d'Espagne n'a voulu passer aucun article qu'à condition d'épouser cette princesse, au lieu du prince Don Carlos, son fils[2]. Le roi a eu beaucoup de peine à s'y résoudre ; enfin il y a consenti, et il est allé tantôt annoncer cette nouvelle à Madame. Je crois qu'elle[3] sera inconsolable ; ce n'est pas une chose qui puisse plaire, d'épouser un homme de l'âge et de l'humeur du roi d'Espagne, surtout à elle, qui a toute la joie que donne la première jeunesse jointe à la beauté, et qui s'attendait d'épouser un jeune prince pour qui elle a de l'inclination sans l'avoir vu. Je ne sais si le roi en elle trouvera toute l'obéissance qu'il désire ; il m'a chargée de la voir parce qu'il sait qu'elle m'aime, et qu'il croit que j'aurai quelque pouvoir sur son esprit. Je ferai ensuite une autre visite bien différente : j'irai me réjouir avec Madame, sœur du roi. Tout est arrêté pour son mariage avec M. de Savoie ; et il sera ici dans peu de temps. Jamais personne de l'âge de cette princesse[4] n'a eu une joie si entière de se marier. La cour va être plus belle et plus grosse qu'on ne l'a jamais vue ; et, malgré votre affliction, il faut que vous veniez nous aider à faire voir aux étrangers que nous n'avons pas de médiocres[5] beautés. »

Après ces paroles, Mme la dauphine quitta Mme de Clèves et, le lendemain, le mariage de Madame fut su de tout le monde. Les jours suivants, le roi et les reines allèrent voir Mme de Clèves. M. de Nemours, qui avait attendu son retour avec une extrême impatience, et qui souhaitait ardemment de lui pouvoir parler

---

1. Il s'agit de la paix entre la France et l'Espagne.
2. Voir note 3, p. 35.
3. Ici, il s'agit d'Élisabeth de France, fille du roi Henri II, qui épouse Philippe II (voir note 3, p. 35).
4. Madame, sœur du roi Henri II, a trente-six ans quand elle épouse Emmanuel-Philibert, duc de Savoie.
5. *Médiocres* : communes.

425 sans témoins, attendit pour aller chez elle l'heure que tout le monde en sortirait, et qu'apparemment il ne reviendrait plus personne. Il réussit dans son dessein, et il arriva comme les dernières visites en sortaient.

Cette princesse était sur son lit, il faisait chaud, et la vue de
430 M. de Nemours acheva de lui donner une rougeur qui ne diminuait pas sa beauté. Il s'assit vis-à-vis d'elle, avec cette crainte et cette timidité que donnent les véritables passions. Il demeura quelque temps sans pouvoir parler. Mme de Clèves n'était pas moins interdite, de sorte qu'ils gardèrent assez longtemps le
435 silence. Enfin M. de Nemours prit la parole, et lui fit des compliments [1] sur son affliction ; Mme de Clèves, étant bien aise de continuer la conversation sur ce sujet, parla assez longtemps de la perte qu'elle avait faite ; et enfin, elle dit que, quand le temps aurait diminué la violence de sa douleur, il lui en demeurerait
440 toujours une si forte impression, que son humeur en serait changée.

«Les grandes afflictions et les passions violentes, repartit M. de Nemours, font de grands changements dans l'esprit ; et, pour moi, je ne me reconnais pas depuis que je suis revenu de
445 Flandres. Beaucoup de gens ont remarqué ce changement, et même Mme la dauphine m'en parlait encore hier.

– Il est vrai, repartit Mme de Clèves, qu'elle l'a remarqué, et je crois lui en avoir ouï dire quelque chose.

– Je ne suis pas fâché, Madame, répliqua M. de Nemours,
450 qu'elle s'en soit aperçue ; mais je voudrais qu'elle ne fût pas seule à s'en apercevoir. Il y a des personnes à qui on n'ose donner d'autres marques de la passion qu'on a pour elles que par les choses qui ne les regardent point ; et, n'osant leur faire paraître qu'on les aime, on voudrait du moins qu'elles vissent que l'on ne
455 veut être aimé de personne. L'on voudrait qu'elles sussent qu'il n'y a point de beauté, dans quelque rang qu'elle pût être, que

---

1. **Compliments** : ici, condoléances.

Mme de Lafayette et *La Princesse de Clèves*

Marie-Madeleine Pioche de La Vergne (1634-1693), comtesse de Lafayette, est introduite très jeune dans les salons littéraires parisiens, tenus notamment par la marquise de Rambouillet et Madeleine de Scudéry. Elle publie anonymement *La Princesse de Montpensier* (1622) puis *Zaïde* (1669-1671) et enfin *La Princesse de Clèves* (1678). Ces trois romans sont signés par l'un de ses amis, l'homme de lettres Jean Regnault de Segrais. *La Princesse de Clèves* connaît un prompt succès auprès du public mais divise la critique. Aussi Mme de Lafayette n'a-t-elle jamais avoué publiquement en être l'auteur : son nom ne figure même pas sur le frontispice original.

Louis Elle Lancien, portrait de Mme de Lafayette, d'après Étienne Fessard.

◄ Frontispice de l'édition originale de *La Princesse de Clèves* (Paris, Barbin, 1678).

La préciosité dans les salons littéraires parisiens

Premier lieu de la préciosité parisienne, l'hôtel de Rambouillet est construit en 1604. De santé trop fragile pour se déplacer à la cour, la marquise de Rambouillet y reçoit jusque dans sa « Chambre bleue » les illustres lettrés de son temps. Le succès de l'endroit conduit à l'ouverture de nombreux salons littéraires. Ils sont le lieu de jeux, de lectures et de débats littéraires. Mouvement littéraire et culturel du début du XVIIe siècle, la préciosité naît d'une volonté de se démarquer du baroque et du vulgaire, en recherchant notamment dans le langage une certaine forme de pureté.

▶ Paul Philippoteaux (dessin) et Charles Laplante (gravure), *Corneille lisant sa tragédie de* Polyeucte *à l'hôtel de Rambouillet.*

▼ Jacques Defreveault, *Carte du pays de Tendre.*
Gravure dédiée à la marquise de Rambouillet, 1659.
Ce pays imaginaire représente sous une forme allégorique les différentes étapes de la vie amoureuse selon les Précieuses. Les principaux lieux en sont Tendre-sur-Inclination, Tendre-sur-Estime et Tendre-sur-Reconnaissance, villes que relie le fleuve Inclination.

Galerie de portraits historiques

Dans le roman, des personnages fictifs (l'héroïne et sa mère) côtoient des figures historiques bien réelles, représentées ci-dessous. Mais si Mme de Lafayette fait évoluer la princesse de Clèves parmi le personnel aristocratique du XVIᵉ siècle, c'est avant tout pour parler de son propre temps : de la cour d'Henri II à la celle de Louis XIV, contemporaine de la rédaction du roman, il n'y a qu'un pas. Dans les milieux mondains du Grand Siècle, la cour des Valois est ainsi évoquée, non sans nostalgie, comme une période de grandeur, de délicatesse et de goût. Elle s'est imposée à Mme de Lafayette comme le lieu idéal pour une intrigue romanesque.

▶ Portrait d'Henri II, roi de France de 1547 à 1559, par François Clouet.

◀ Portrait de Catherine de Médicis, reine de France de 1547 à 1559, par François Clouet. Huile sur bois, v. 1515-1572.

▶ Portrait de Jacques de Savoie, duc de Nemours (1531-1585).

◀ Portrait de Diane de Poitiers (v. 1499-1566), duchesse de Valentinois et favorite d'Henri II.

Le jeu des regards dans les épisodes clés du roman

▶ Pierre-Jean-Baptiste-Isidore Choquet (dessin) et Edme Bovinet (gravure), *Le Portrait dérobé*, 1820. Cette gravure représente la célèbre scène du vol du portrait (voir p. 106-107). Allongée sur le lit, Mme la Dauphine parle à Mme de Clèves tandis que celle-ci s'aperçoit du larcin de M. de Nemours. Figée dans les codes sociaux de son temps, Mme de Clèves ne peut rien dire mais comprend dès lors les sentiments du duc. Dans ce moment décisif de la passion amoureuse, le jeu des regards est déterminant : Mme la Dauphine regarde Mme de Clèves qui épie M. de Nemours – ce dernier croyant dérober le portrait sans être vu.

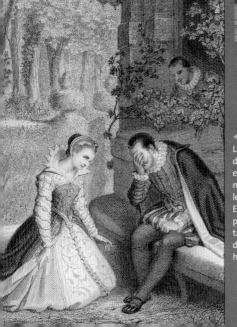

◀ Gustave Staal, *L'Aveu*. Gravure, 1863. La princesse de Clèves avoue les raisons de sa retraite à Coulommiers à son mari : elle veut fuir les tentations d'un amour naissant. Dissimulé, M. de Nemours est le témoin attentif de cet aveu (voir p. 141). En son temps, cette scène fut critiquée par certains pour son invraisemblance, tandis que d'autres admirèrent la grandeur d'âme de l'héroïne dans cette confession hors du commun.

▲ Alphonse Lamotte (dessin) et Jules-Arsène Garnier (gravure), *La Canne des Indes* (Paris, Conquet, 1889).

Au cours d'une scène nocturne d'une grande sensualité, se croyant seule dans son pavillon de Coulommiers, la princesse de Clèves laisse libre cours à ses pensées amoureuses tandis que M. de Nemours l'observe avec émotion. Il est d'ailleurs lui-même épié par un domestique de M. de Clèves (voir p. 178). Le duc outrepasse l'interdit : il a accès à ce qu'il ne devrait pas voir.

La Princesse de Clèves dans les arts

▲ *La Princesse de Clèves*, par Jean Delannoy (1961), avec Marina Vlady (Mme de Clèves) et Jean Marais (M. de Clèves).
Jean Delannoy opte pour un film d'époque en costumes pour rester le plus fidèle possible au roman de Mme de Lafayette.

Questions

1. Comparez les adaptations de Jean Delannoy et de Christophe Honoré (époques, décors, costumes, personnages).
2. Dans chaque cas, comment interpréter le jeu des regards entre les deux personnages et leurs postures ?
3. Sur la photo 2, quels sont les éléments inspirés du livre et quelles sont les différences par rapport à l'histoire originale ?

◀▲ *La Belle Personne*,
par Christophe Honoré (2008),
avec Léa Seydoux (Junie),
Grégoire Leprince-Ringuet
(Otto, image 3), et Louis Garrel
(Nemours, image 2).

Dans cette libre adaptation
du roman, Junie, seize ans, change
de lycée à la suite de la mort
de sa mère. Elle engage une relation
amoureuse avec Otto, un garçon
discret. Mais bientôt son professeur
d'italien, Nemours, jette son dévolu
sur elle. Malgré une passion
mutuelle, elle refuse un bonheur
qui ne serait qu'illusoire.

▶ *Nous, princesses de Clèves*,
par Régis Sauder (2011).
Anne Tesson, professeur de français
à Marseille, a proposé à ses élèves de Première
et de Terminale un atelier de lecture autour de
La Princesse de Clèves. Dans ce film documentaire,
l'intrigue du roman a servi de point de départ
aux lycéens pour parler de leurs amours.

▼ Marie Laurencin, *La Princesse de Clèves*,
panneau central d'un triptyque.
Marie Laurencin (1945-1985) a illustré par des eaux-
fortes plusieurs éditions de *La Princesse de Clèves*.
Elle reprend ici ce thème sous forme de peinture.
Tout en nuances tendres et raffinées, son œuvre
fait écho au récit de Mme de Lafayette.

Questions

1. Décrivez le personnage central. En quoi se détache-t-il des autres ?
2. Quels sentiments révèlent les expressions des jeunes femmes ?
3. Quels liens peut-on faire entre ce tableau et le roman de Mme de Lafayette ?

l'on ne regardât avec indifférence, et qu'il n'y a point de couronne que l'on voulût acheter au prix de ne les voir jamais. Les femmes jugent d'ordinaire de la passion qu'on a pour elles, continua-t-il, par le soin qu'on prend de leur plaire et de les chercher[1] ; mais ce n'est pas une chose difficile, pour peu qu'elles soient aimables ; ce qui est difficile, c'est de ne s'abandonner pas au plaisir de les suivre ; c'est de les éviter, par la peur de laisser paraître au public, et quasi à elles-mêmes, les sentiments que l'on a pour elles. Et ce qui marque encore mieux un véritable attachement, c'est de devenir entièrement opposé à ce que l'on était, et de n'avoir plus d'ambition, ni de plaisirs, après avoir été toute sa vie occupé de l'un et de l'autre.»

Mme de Clèves entendait aisément la part qu'elle avait à ces paroles. Il lui semblait qu'elle devait y répondre et ne les pas souffrir. Il lui semblait aussi qu'elle ne devait pas les entendre, ni témoigner qu'elle les prît pour elle. Elle croyait devoir parler, et croyait ne devoir rien dire. Le discours de M. de Nemours lui plaisait et l'offensait quasi également ; elle y voyait la confirmation de tout ce que lui avait fait penser Mme la dauphine ; elle y trouvait quelque chose de galant et de respectueux, mais aussi quelque chose de hardi et de trop intelligible. L'inclination qu'elle avait pour ce prince lui donnait un trouble dont elle n'était pas maîtresse. Les paroles les plus obscures d'un homme qui plaît donnent plus d'agitation que les déclarations ouvertes d'un homme qui ne plaît pas. Elle demeurait donc sans répondre, et M. de Nemours se fût aperçu de son silence, dont il n'aurait peut-être pas tiré de mauvais présages, si l'arrivée de M. de Clèves n'eût fini la conversation et sa visite.

Ce prince venait conter à sa femme des nouvelles de Sancerre ; mais elle n'avait pas une grande curiosité pour la suite de cette aventure. Elle était si occupée de ce qui se venait de passer qu'à peine pouvait-elle cacher la distraction de son esprit. Quand elle

---

1. Chercher : rechercher.

fut en liberté de rêver, elle connut bien qu'elle s'était trompée
490 lorsqu'elle avait cru n'avoir plus que de l'indifférence pour M. de
Nemours. Ce qu'il lui avait dit avait fait toute l'impression qu'il
pouvait souhaiter et l'avait entièrement persuadée de sa passion.
Les actions de ce prince s'accordaient trop bien avec ses paroles
pour laisser quelque doute à cette princesse. Elle ne se flatta
495 plus de l'espérance de ne le pas aimer ; elle songea seulement à
ne lui en donner jamais aucune marque. C'était une entreprise
difficile, dont elle connaissait déjà les peines ; elle savait que le
seul moyen d'y réussir était d'éviter la présence de ce prince ;
et, comme son deuil lui donnait lieu d'être plus retirée que de
500 coutume, elle se servit de ce prétexte pour n'aller plus dans les
lieux où il la pouvait voir. Elle était dans une tristesse profonde ;
la mort de sa mère en paraissait la cause, et l'on n'en cherchait
point d'autre.

M. de Nemours était désespéré de ne la voir presque plus ;
505 et, sachant qu'il ne la trouverait dans aucune assemblée et dans
aucun des divertissements où était toute la cour, il ne pouvait se
résoudre d'y paraître ; il feignit une passion grande pour la chasse,
et il en faisait des parties les mêmes jours qu'il y avait des assemblées chez les reines. Une légère maladie lui servit longtemps de
510 prétexte pour demeurer chez lui et pour éviter d'aller dans tous
les lieux où il savait bien que Mme de Clèves ne serait pas.

M. de Clèves fut malade à peu près dans le même temps.
Mme de Clèves ne sortit point de sa chambre pendant son mal ;
mais, quand il se porta mieux, qu'il vit du monde, et entre autres
515 M. de Nemours qui, sur le prétexte d'être encore faible, y passait
la plus grande partie du jour, elle trouva qu'elle n'y pouvait plus
demeurer ; elle n'eut pas néanmoins la force d'en sortir les premières fois qu'il y vint. Il y avait trop longtemps qu'elle ne l'avait
vu pour se résoudre à ne le voir pas. Ce prince trouva le moyen
520 de lui faire entendre, par des discours qui ne semblaient que
généraux, mais qu'elle entendait néanmoins parce qu'ils avaient
du rapport à ce qu'il lui avait dit chez elle, qu'il allait à la chasse

pour rêver, et qu'il n'allait point aux assemblées parce qu'elle n'y était pas.

525 Elle exécuta enfin la résolution qu'elle avait prise de sortir de chez son mari, lorsqu'il y serait ; ce fut toutefois en se faisant une extrême violence. Ce prince vit bien qu'elle le fuyait, et en fut sensiblement touché.

M. de Clèves ne prit pas garde d'abord à la conduite de sa
530 femme ; mais enfin il s'aperçut qu'elle ne voulait pas être dans sa chambre lorsqu'il y avait du monde. Il lui en parla, et elle lui répondit qu'elle ne croyait pas que la bienséance voulût qu'elle fût tous les soirs avec ce qu'il y avait de plus jeune à la cour ; qu'elle le suppliait de trouver bon qu'elle fît une vie plus retirée
535 qu'elle n'avait accoutumé ; que la vertu et la présence de sa mère autorisaient beaucoup de choses qu'une femme de son âge ne pouvait soutenir[1].

M. de Clèves, qui avait naturellement beaucoup de douceur et de complaisance pour sa femme, n'en eut pas en cette occa-
540 sion, et il lui dit qu'il ne voulait pas absolument qu'elle changeât de conduite. Elle fut prête de lui dire que le bruit était dans le monde, que M. de Nemours était amoureux d'elle ; mais elle n'eut pas la force de le nommer. Elle sentit aussi de la honte de se vouloir servir d'une fausse raison, et de déguiser la vérité à un
545 homme qui avait si bonne opinion d'elle.

Quelques jours après, le roi était chez la reine à l'heure du cercle ; l'on parla des horoscopes et des prédictions[2]. Les opinions étaient partagées sur la croyance que l'on y devait donner. La reine y ajoutait beaucoup de foi ; elle soutint qu'après tant de
550 choses qui avaient été prédites, et que l'on avait vu arriver, on ne pouvait douter qu'il n'y eût quelque certitude dans cette science. D'autres soutenaient que, parmi ce nombre infini de prédictions,

---

1. *Soutenir* : supporter.
2. Catherine de Médicis se fiait à l'astrologie ; elle consultait Nostradamus (1503-1566).

le peu qui se trouvaient véritables faisait bien voir que ce n'était qu'un effet du hasard.

555 «J'ai eu autrefois beaucoup de curiosité pour l'avenir, dit le roi ; mais on m'a dit tant de choses fausses et si peu vraisemblables, que je suis demeuré convaincu que l'on ne peut rien savoir de véritable. Il y a quelques années qu'il vint ici un homme d'une grande réputation dans l'astrologie [1]. Tout le monde l'alla
560 voir ; j'y allai comme les autres, mais sans lui dire qui j'étais, et je menai M. de Guise et d'Escars ; je les fis passer les premiers. L'astrologue néanmoins s'adressa d'abord à moi, comme s'il m'eût jugé le maître des autres. Peut-être qu'il me connaissait ; cependant il me dit une chose qui ne me convenait pas s'il m'eût
565 connu. Il me prédit que je serais tué en duel. Il dit ensuite à M. de Guise qu'il serait tué par-derrière et à d'Escars qu'il aurait la tête cassée d'un coup de pied de cheval. M. de Guise s'offensa quasi de cette prédiction, comme si on l'eût accusé de devoir fuir. D'Escars ne fut guère satisfait de trouver qu'il devait finir
570 par un accident si malheureux. Enfin nous sortîmes tous très malcontents de l'astrologue. Je ne sais ce qui arrivera à M. de Guise et à d'Escars ; mais il n'y a guère d'apparence que je sois tué en duel. Nous venons de faire la paix, le roi d'Espagne et moi ; et quand nous ne l'aurions pas faite, je doute que nous
575 nous battions, et que je le fisse appeler comme le roi mon père fit appeler Charles Quint.»

Après le malheur que le roi conta qu'on lui avait prédit, ceux qui avaient soutenu l'astrologie en abandonnèrent le parti, et tombèrent d'accord qu'il n'y fallait donner aucune croyance.

580 «Pour moi, dit tout haut M. de Nemours, je suis l'homme du monde qui dois le moins y en avoir [2]» ; et, se tournant vers Mme de Clèves, auprès de qui il était : «On m'a prédit, lui dit-il

---

1. Il s'agit de Nostradamus. Mme de Lafayette, en développant cette anecdote, use d'un effet d'ironie tragique puisque le roi sera bientôt mortellement blessé lors d'un tournoi par une lance qui traversera son casque.
2. *Le moins y en avoir* : le moins y porter foi.

tout bas, que je serais heureux par les bontés de la personne du monde pour qui j'aurais la plus violente et la plus respectueuse passion. Vous pouvez juger, Madame, si je dois croire aux prédictions.»

Mme la dauphine qui crut, par ce que M. de Nemours avait dit tout haut, que ce qu'il disait tout bas était quelque fausse prédiction qu'on lui avait faite, demanda à ce prince ce qu'il disait à Mme de Clèves. S'il eût eu moins de présence d'esprit, il eût été surpris de cette demande. Mais prenant la parole sans hésiter :

«Je lui disais, Madame, répondit-il, que l'on m'a prédit que je serais élevé à une si haute fortune, que je n'oserais même y prétendre.

– Si l'on ne vous a fait que cette prédiction, repartit Mme la dauphine en souriant, et pensant à l'affaire d'Angleterre, je ne vous conseille pas de décrier l'astrologie, et vous pourriez trouver des raisons pour la soutenir [1].»

Mme de Clèves comprit bien ce que voulait dire Mme la dauphine ; mais elle entendait bien aussi que la fortune dont M. de Nemours voulait parler n'était pas d'être roi d'Angleterre.

Comme il y avait déjà assez longtemps de la mort de sa mère, il fallait qu'elle commençât à paraître dans le monde, et à faire sa cour [2] comme elle avait accoutumé. Elle voyait M. de Nemours chez Mme la dauphine ; elle le voyait chez M. de Clèves, où il venait souvent avec d'autres personnes de qualité de son âge, afin de ne se pas faire remarquer ; mais elle ne le voyait plus qu'avec un trouble dont il s'apercevait aisément.

Quelque application qu'elle eût à éviter ses regards et à lui parler moins qu'à un autre, il lui échappait de certaines choses qui partaient d'un premier mouvement, qui faisaient juger à ce prince qu'il ne lui était pas indifférent. Un homme moins péné-

---

1. *Soutenir* : défendre.
2. *Faire sa cour* : se rendre à la cour pour y manifester son respect par des visites assidues.

trant que lui ne s'en fût peut-être pas aperçu ; mais il avait déjà été aimé tant de fois qu'il était difficile qu'il ne connût pas quand on l'aimait. Il voyait bien que le chevalier de Guise était son rival, et ce prince connaissait que M. de Nemours était le sien. Il était le seul homme de la cour qui eût démêlé cette vérité ; son intérêt l'avait rendu plus clairvoyant que les autres ; la connaissance qu'ils avaient de leurs sentiments leur donnait une aigreur qui paraissait en toutes choses, sans éclater néanmoins par aucun démêlé ; mais ils étaient opposés en tout. Ils étaient toujours de différent parti dans les courses de bague, dans les combats à la barrière [1] et dans tous les divertissements où le roi s'occupait ; et leur émulation était si grande qu'elle ne se pouvait cacher.

L'affaire d'Angleterre revenait souvent dans l'esprit de Mme de Clèves : il lui semblait que M. de Nemours ne résisterait point aux conseils du roi et aux instances de Lignerolles. Elle voyait avec peine que ce dernier n'était point encore de retour, et elle l'attendait avec impatience. Si elle eût suivi ses mouvements, elle se serait informée avec soin de l'état de cette affaire, mais le même sentiment qui lui donnait de la curiosité l'obligeait à la cacher, et elle s'enquérait seulement de la beauté, de l'esprit et de l'humeur de la reine Élisabeth. On apporta un de ses portraits chez le roi, qu'elle trouva plus beau qu'elle n'avait envie de le trouver ; et elle ne put s'empêcher de dire qu'il était flatté [2].

« Je ne le crois pas, reprit Mme la dauphine, qui était présente ; cette princesse a la réputation d'être belle, et d'avoir un esprit fort au-dessus du commun, et je sais bien qu'on me l'a proposée toute ma vie pour exemple. Elle doit être aimable, si elle ressemble à Anne de Boulen [3], sa mère. Jamais femme n'a eu tant de charmes et tant d'agrément dans sa personne et dans son humeur. J'ai ouï dire que son visage avait quelque chose de vif et de singulier,

---

1. *Barrière* : barrière du clos dans lequel se déroulent les tournois.
2. *Flatté* : avantageux.
3. *Anne de Boulen* : voir note 4, p. 42.

et qu'elle n'avait aucune ressemblance avec les autres beautés anglaises.

645 – Il me semble aussi, reprit Mme de Clèves, que l'on dit qu'elle était née en France.

– Ceux qui l'ont cru se sont trompés, répondit Mme la dauphine, et je vais vous conter son histoire en peu de mots[1].

«Elle était d'une bonne maison d'Angleterre. Henri VIII avait
650 été amoureux de sa sœur et de sa mère, et l'on a même soupçonné qu'elle était sa fille. Elle vint ici avec la sœur de Henri VII, qui épousa le roi Louis XII[2]. Cette princesse, qui était jeune et galante, eut beaucoup de peine à quitter la cour de France après la mort de son mari ; mais Anne de Boulen, qui avait les mêmes
655 inclinations que sa maîtresse, ne se put résoudre à en partir. Le feu roi en était amoureux, et elle demeura fille d'honneur de la reine Claude. Cette reine mourut, et Mme Marguerite, sœur du roi, duchesse d'Alençon, et depuis reine de Navarre, dont vous avez vu les contes[3], la prit auprès d'elle, et elle prit auprès de
660 cette princesse les teintures de la religion nouvelle. Elle retourna ensuite en Angleterre et y charma tout le monde ; elle avait les manières de France qui plaisent à toutes les nations ; elle chantait bien, elle dansait admirablement ; on la mit fille de la reine Catherine d'Aragon[4], et le roi Henri VIII en devint éperdument
665 amoureux.

---

1. Ici commence la troisième digression du roman.
2. *Louis XII* (1462-1515) : roi de France de 1498 à 1515. Il épousa Marie d'Angleterre, sœur d'Henri VIII, donc la fille d'Henri VII. Le texte se trompe.
3. Il s'agit de Marguerite de Navarre (1492-1549), sœur de François Ier. Elle épousa le duc d'Alençon en 1509, qui décéda à Pavie en 1525, puis Henri d'Albret, roi de Navarre en 1527. Elle fut l'un des esprits les plus brillants de la cour de France. Entourée d'écrivains et d'artistes, elle composa elle-même des récits mais aussi des pièces de théâtre. Les «contes» qu'évoque Mme de Lafayette sont ceux de l'*Heptaméron* (1559). Fervente chrétienne, séduite par la Réforme, elle connut Calvin et protégea les protestants.
4. Voir note 4, p. 42.

«Le cardinal de Volsey, son favori et son premier ministre, avait prétendu au pontificat; et, mal satisfait de l'empereur [1], qui ne l'avait pas soutenu dans cette prétention, il résolut de s'en venger, et d'unir le roi son maître à la France. Il mit dans l'esprit de Henri VIII que son mariage avec la tante de l'empereur [2] était nul, et lui proposa d'épouser la duchesse d'Alençon, dont le mari venait de mourir [3]. Anne de Boulen, qui avait de l'ambition, regarda ce divorce comme un chemin qui la pouvait conduire au trône. Elle commença à donner au roi d'Angleterre des impressions de la religion de Luther, et engagea le feu roi à favoriser à Rome le divorce de Henri, sur l'espérance du mariage de Mme d'Alençon. Le cardinal de Volsey se fit députer [4] en France sur d'autres prétextes pour traiter cette affaire; mais son maître ne put se résoudre à souffrir qu'on en fît seulement la proposition et il lui envoya un ordre à Calais de ne point parler de ce mariage.

«Au retour de France, le cardinal de Volsey fut reçu avec des honneurs pareils à ceux que l'on rendait au roi même; jamais favori n'a porté l'orgueil et la vanité à un si haut point. Il ménagea une entrevue entre les deux rois, qui se fit à Boulogne. François premier donna la main à Henri VIII, qui ne la voulait point recevoir. Ils se traitèrent tour à tour avec une magnificence extraordinaire, et se donnèrent des habits pareils à ceux qu'ils avaient fait faire pour eux-mêmes. Je me souviens d'avoir ouï dire que ceux que le feu roi envoya au roi d'Angleterre étaient de satin cramoisi [5], chamarré [6] en triangle, avec des perles et des diamants, et la robe de velours blanc brodé d'or. Après avoir été quelques jours à Boulogne, ils allèrent encore à Calais. Anne

---

1. Il s'agit de Charles Quint.
2. Il s'agit de Catherine d'Aragon.
3. *Duchesse d'Alençon* : Marguerite de Navarre (voir note 3, p. 103).
4. *Députer* : envoyer.
5. *Cramoisi* : rouge foncé, tirant sur le violet.
6. *Chamarré* : orné.

de Boulen était logée chez Henri VIII avec le train d'une reine,
695 et François premier lui fit les mêmes présents et lui rendit les
mêmes honneurs que si elle l'eût été. Enfin, après une passion de
neuf années, Henri l'épousa sans attendre[1] la dissolution de son
premier mariage, qu'il demandait à Rome depuis longtemps. Le
pape prononça les fulminations[2] contre lui avec précipitation, et
700 Henri en fut tellement irrité qu'il se déclara chef de la religion[3]
et entraîna toute l'Angleterre dans le malheureux changement où
vous la voyez.

«Anne de Boulen ne jouit pas longtemps de sa grandeur; car,
lorsqu'elle la croyait plus assurée par la mort de Catherine d'Ara-
705 gon, un jour qu'elle assistait avec toute la cour à des courses de
bague que faisait le vicomte de Rochefort, son frère, le roi en fut
frappé d'une telle jalousie, qu'il quitta brusquement le spectacle,
s'en vint à Londres, et laissa ordre d'arrêter la reine, le vicomte
de Rochefort et plusieurs autres, qu'il croyait amants ou confi-
710 dents de cette princesse. Quoique cette jalousie parût née dans ce
moment, il y avait déjà quelque temps qu'elle lui avait été inspirée
par la vicomtesse de Rochefort qui, ne pouvant souffrir la liaison
étroite de son mari avec la reine, la fit regarder au roi comme
une amitié criminelle; en sorte que ce prince, qui d'ailleurs était
715 amoureux de Jeanne Seimer[4], ne songea qu'à se défaire d'Anne
de Boulen. En moins de trois semaines, il fit faire le procès à cette
reine et à son frère, leur fit couper la tête et épousa Jeanne Seimer.
Il eut ensuite plusieurs femmes, qu'il répudia ou qu'il fit mourir,
et entre autres Catherine Havard[5], dont la comtesse de Rochefort
720 était confidente, et qui eut la tête coupée avec elle. Elle fut ainsi

---

1. Le mariage eut lieu en 1533.
2. *Fulminations* : publication d'une décision canonique.
3. Il s'agit de l'anglicanisme, né du schisme avec Rome.
4. *Jeanne Seymour* (Seimer dans le texte de Mme de Lafayette, v. 1509-
1537) : elle devint la troisième femme d'Henri VIII, en 1536. *Catherine
Havard* ou Howard (1522-1542), nièce du duc de Norfolk, fut décapitée en
février 1542 sur ordre d'Henri VIII, convaincu de son infidélité.
5. Leur mariage avait eut lieu en 1540.

punie des crimes qu'elle avait supposés à Anne de Boulen, et Henri VIII mourut, étant devenu d'une grosseur prodigieuse.»

Toutes les dames qui étaient présentes au récit de Mme la dauphine la remercièrent de les avoir si bien instruites de la cour d'An-
725 gleterre, et entre autres Mme de Clèves, qui ne put s'empêcher de lui faire encore plusieurs questions sur la reine Élisabeth.

La reine dauphine faisait faire des portraits en petit de toutes les belles personnes de la cour pour les envoyer à la reine sa mère. Le jour qu'on achevait celui de Mme de Clèves, Mme la dauphine
730 vint passer l'après-dînée chez elle. M. de Nemours ne manqua pas de s'y trouver ; il ne laissait échapper aucune occasion de voir Mme de Clèves, sans laisser paraître néanmoins qu'il les cherchât. Elle était si belle ce jour-là qu'il en serait devenu amoureux quand il ne l'aurait pas été. Il n'osait pourtant avoir les yeux attachés sur
735 elle pendant qu'on la peignait, et il craignait de laisser trop voir le plaisir qu'il avait à la regarder.

Mme la dauphine demanda à M. de Clèves un petit portrait qu'il avait de sa femme, pour le voir auprès de celui que l'on achevait. Tout le monde dit son sentiment de l'un et de l'autre ;
740 et Mme de Clèves ordonna au peintre de raccommoder quelque chose à la coiffure de celui que l'on venait d'apporter. Le peintre, pour lui obéir, ôta le portrait de la boîte où il était et, après y avoir travaillé, il le remit sur la table.

Il y avait longtemps que M. de Nemours souhaitait d'avoir le
745 portrait de Mme de Clèves. Lorsqu'il vit celui qui était à M. de Clèves, il ne put résister à l'envie de le dérober à un mari qu'il croyait tendrement aimé ; et il pensa que, parmi tant de personnes qui étaient dans ce même lieu, il ne serait pas soupçonné plutôt qu'un autre.

750 Mme la dauphine était assise sur le lit, et parlait bas à Mme de Clèves, qui était debout devant elle. Mme de Clèves aperçut par un des rideaux qui n'était qu'à demi fermé, M. de Nemours, le dos contre la table, qui était au pied du lit, et elle vit que, sans tourner la tête, il prenait adroitement quelque chose sur cette

755 table. Elle n'eut pas de peine à deviner que c'était son portrait, et elle en fut si troublée que Mme la dauphine remarqua qu'elle ne l'écoutait pas et lui demanda tout haut ce qu'elle regardait. M. de Nemours se tourna à ces paroles ; il rencontra les yeux de Mme de Clèves, qui étaient encore attachés sur lui, et il pensa qu'il n'était
760 pas impossible qu'elle eût vu ce qu'il venait de faire.

Mme de Clèves n'était pas peu embarrassée. La raison voulait qu'elle demandât son portrait ; mais, en le demandant publiquement, c'était apprendre à tout le monde les sentiments que ce prince avait pour elle, et, en le lui demandant en particulier,
765 c'était quasi l'engager à lui parler de sa passion. Enfin elle jugea qu'il valait mieux le lui laisser, et elle fut bien aise de lui accorder une faveur qu'elle lui pouvait faire, sans qu'il sût même qu'elle la lui faisait. M. de Nemours, qui remarquait son embarras, et qui en devinait quasi la cause, s'approcha d'elle et lui dit tout bas :
770 «Si vous avez vu ce que j'ai osé faire, ayez la bonté, Madame, de me laisser croire que vous l'ignorez ; je n'ose vous en demander davantage.» Et il se retira après ces paroles, et n'attendit point sa réponse.

Mme la dauphine sortit pour s'aller promener, suivie de toutes
775 les dames, et M. de Nemours alla se renfermer chez lui, ne pouvant soutenir en public la joie d'avoir un portrait de Mme de Clèves. Il sentait tout ce que la passion peut faire sentir de plus agréable ; il aimait la plus aimable personne de la cour, il s'en faisait aimer malgré elle, et il voyait dans toutes ses actions cette
780 sorte de trouble et d'embarras que cause l'amour dans l'innocence de la première jeunesse.

Le soir, on chercha ce portrait avec beaucoup de soin ; comme on trouvait la boîte où il devait être, l'on ne soupçonna point qu'il eût été dérobé, et l'on crut qu'il était tombé par hasard.
785 M. de Clèves était affligé de cette perte et, après qu'on eut encore cherché inutilement, il dit à sa femme, mais d'une manière qui faisait voir qu'il ne le pensait pas, qu'elle avait sans doute quelque amant caché à qui elle avait donné ce portrait, ou qui l'avait

dérobé, et qu'un autre qu'un amant ne se serait pas contenté de
790 la peinture sans la boîte.

Ces paroles, quoique dites en riant, firent une vive impression
dans l'esprit de Mme de Clèves. Elles lui donnèrent des remords ;
elle fit réflexion à la violence de l'inclination qui l'entraînait vers
M. de Nemours ; elle trouva qu'elle n'était plus maîtresse de ses
795 paroles et de son visage ; elle pensa que Lignerolles était revenu ;
qu'elle ne craignait plus l'affaire d'Angleterre ; qu'elle n'avait plus
de soupçons sur Mme la dauphine ; qu'enfin il n'y avait plus rien
qui la pût défendre, et qu'il n'y avait de sûreté pour elle qu'en
s'éloignant. Mais, comme elle n'était pas maîtresse de s'éloigner,
800 elle se trouvait dans une grande extrémité et prête à tomber dans
ce qui lui paraissait le plus grand des malheurs, qui était de laisser
voir à M. de Nemours l'inclination qu'elle avait pour lui. Elle se
souvenait de tout ce que Mme de Chartres lui avait dit en mourant et des conseils qu'elle lui avait donnés de prendre toutes
805 sortes de partis, quelque difficiles qu'ils pussent être, plutôt que
de s'embarquer dans une galanterie. Ce que M. de Clèves lui avait
dit sur la sincérité, en parlant de Mme de Tournon, lui revint dans
l'esprit ; il lui sembla qu'elle lui devait avouer l'inclination qu'elle
avait pour M. de Nemours. Cette pensée l'occupa longtemps ;
810 ensuite elle fut étonnée de l'avoir eue, elle y trouva de la folie, et
retomba dans l'embarras de ne savoir quel parti prendre.

La paix était signée ; Mme Élisabeth, après beaucoup de répugnance, s'était résolue à obéir au roi son père. Le duc d'Albe
avait été nommé pour venir l'épouser au nom du roi catholique,
815 et il devait bientôt arriver. L'on attendait le duc de Savoie, qui
venait épouser Madame sœur du roi, et dont les noces se devaient
faire en même temps [1]. Le roi ne songeait qu'à rendre ces noces
célèbres par des divertissements où il pût faire paraître l'adresse et

---

1. Cela n'est pas tout à fait exact : Élisabeth de France épousa Philippe II le
22 juin 1559 et Marguerite de France épousa le duc de Savoie le 9 juillet de
la même année.

la magnificence de sa cour. On proposa tout ce qui se pouvait faire de plus grand pour des ballets et des comédies, mais le roi trouva ces divertissements trop particuliers [1], et il en voulut d'un plus grand éclat. Il résolut de faire un tournoi, où les étrangers seraient reçus, et dont le peuple pourrait être spectateur. Tous les princes et les jeunes seigneurs entrèrent avec joie dans le dessein du roi, et surtout le duc de Ferrare, M. de Guise et M. de Nemours, qui surpassaient tous les autres dans ces sortes d'exercices. Le roi les choisit pour être avec lui les quatre tenants [2] du tournoi.

L'on fit publier par tout le royaume qu'en la ville de Paris le pas était ouvert [3], au quinzième juin, par Sa Majesté Très Chrétienne et par les princes Alphonse d'Este, duc de Ferrare, François de Lorraine, duc de Guise, et Jacques de Savoie, duc de Nemours pour être tenu contre tous venants, à commencer le premier combat, à cheval en lice [4], en double pièce [5], quatre coups de lance et un pour les dames ; le deuxième combat, à coups d'épée, un à un, ou deux à deux, à la volonté des maîtres du camp [6] ; le troisième combat, à pied, trois coups de pique et six coups d'épée ; que les tenants fourniraient de lances, d'épées et de piques, au choix des assaillants ; et que, si en courant on donnait au cheval [7], on serait mis hors des rangs ; qu'il y aurait quatre maîtres de camp pour donner les ordres, et que ceux des assaillants qui auraient le plus rompu [8] et le mieux fait, auraient un prix dont la valeur serait à la discrétion des juges [9] ; que tous les assaillants,

---

1. *Particuliers* : modestes.
2. *Tenants* : personnes désignées pour affronter les adversaires qui se présentent.
3. *Le pas était ouvert* : le tournoi était ouvert (le « pas » est le lieu de passage défendu par un cavalier dans un tournoi).
4. *En lice* : dans un champ clos, lieu du tournoi.
5. *Double pièce* : armure composée de deux parties séparées.
6. *Maîtres du camp* : personnes qui dirigent le tournoi.
7. *Donnait au cheval* : éperonnait.
8. *Rompu* : combattu.
9. *À la discrétion des juges* : à la libre appréciation des juges.

tant français qu'étrangers, seraient tenus de venir toucher à l'un des écus[1] qui seraient pendus au perron au bout de la lice, ou
845 à plusieurs, selon leur choix ; que là ils trouveraient un officier d'armes qui les recevrait pour les enrôler selon leur rang et selon les écus qu'ils auraient touchés ; que les assaillants seraient tenus de faire apporter par un gentilhomme leur écu, avec leurs armes, pour le pendre au perron trois jours avant le commencement du
850 tournoi ; qu'autrement ils n'y seraient point reçus sans le congé[2] des tenants.

On fit faire une grande lice proche de la Bastille, qui venait du château des Tournelles, qui traversait la rue Saint-Antoine, et qui allait se rendre aux écuries royales. Il y avait des deux côtés
855 des échafauds[3] et des amphithéâtres, avec des loges couvertes qui formaient des espèces de galeries qui faisaient un très bel effet à la vue, et qui pouvaient contenir un nombre infini de personnes. Tous les princes et seigneurs ne furent plus occupés que du soin d'ordonner ce qui leur était nécessaire pour paraître avec éclat,
860 et pour mêler dans leurs chiffres ou dans leurs devises[4], quelque chose de galant qui eût rapport aux personnes qu'ils aimaient.

Peu de jours avant l'arrivée du duc d'Albe, le roi fit une partie de paume avec M. de Nemours, le chevalier de Guise et le vidame de Chartres. Les reines les allèrent voir jouer, suivies de
865 toutes les dames et, entre autres, de Mme de Clèves. Après que la partie fut finie, comme l'on sortait du jeu de paume, Chastelart s'approcha de la reine dauphine, et lui dit que le hasard lui venait de mettre entre les mains une lettre de galanterie qui était tombée de la poche de M. de Nemours. Cette reine, qui avait toujours
870 de la curiosité pour ce qui regardait ce prince, dit à Chastelart de la lui donner ; elle la prit et suivit la reine sa belle-mère, qui

---

1. *Écus* : boucliers.
2. *Congé* : permission.
3. *Échafauds* : tribunes pour les spectateurs.
4. *Chiffres* : voir note 2, p. 34 ; *devises* : formules qui accompagnent les écus dans les armoiries.

s'en allait avec le roi voir travailler à la lice. Après que l'on y eut été quelque temps, le roi fit amener des chevaux qu'il avait fait venir depuis peu. Quoiqu'ils ne fussent pas encore dressés, il les
875 voulut monter, et en fit donner à tous ceux qui l'avaient suivi. Le roi et M. de Nemours se trouvèrent sur les plus fougueux ; ces chevaux se voulurent jeter l'un à l'autre. M. de Nemours, par la crainte de blesser le roi, recula brusquement, et porta son cheval contre un pilier du manège, avec tant de violence que la secousse
880 le fit chanceler. On courut à lui, et on le crut considérablement blessé. Mme de Clèves le crut encore plus blessé que les autres. L'intérêt qu'elle y prenait lui donna une appréhension et un trouble qu'elle ne songea pas à cacher ; elle s'approcha de lui avec les reines, et avec un visage si changé qu'un homme moins intéressé
885 que le chevalier de Guise s'en fût aperçu ; aussi le remarqua-t-il aisément, et il eut bien plus d'attention à l'état où était Mme de Clèves qu'à celui où était M. de Nemours. Le coup que ce prince s'était donné lui causa un si grand éblouissement[1] qu'il demeura quelque temps la tête penchée sur ceux qui le soutenaient. Quand
890 il la releva, il vit d'abord Mme de Clèves ; il connut sur son visage la pitié qu'elle avait de lui et il la regarda d'une sorte qui put lui faire juger combien il en était touché. Il fit ensuite des remerciements aux reines de la bonté qu'elles lui témoignaient et des excuses de l'état où il avait été devant elles. Le roi lui ordonna
895 de s'aller reposer.

Mme de Clèves, après s'être remise de la frayeur qu'elle avait eue, fit bientôt réflexion aux marques qu'elle en avait données. Le chevalier de Guise ne la laissa pas longtemps dans l'espérance que personne ne s'en serait aperçu ; il lui donna la main pour la
900 conduire hors de la lice.

« Je suis plus à plaindre que M. de Nemours, Madame, lui dit-il ; pardonnez-moi si je sors de ce profond respect que j'ai toujours eu pour vous, et si je vous fais paraître la vive douleur

---

1. *Éblouissement* : étourdissement.

que je sens de ce que je viens de voir ; c'est la première fois que
j'ai été assez hardi pour vous parler et ce sera aussi la dernière.
La mort, ou du moins un éloignement éternel, m'ôteront d'un
lieu où je ne puis plus vivre, puisque je viens de perdre la triste
consolation de croire que tous ceux qui osent vous regarder sont
aussi malheureux que moi. »

Mme de Clèves ne répondit que quelques paroles mal arran-
gées, comme si elle n'eût pas entendu ce que signifiaient celles
du chevalier de Guise. Dans un autre temps, elle aurait été offensée qu'il lui eût parlé des sentiments qu'il avait pour elle ; mais
dans ce moment, elle ne sentit que l'affliction de voir qu'il s'était
aperçu de ceux qu'elle avait pour M. de Nemours. Le chevalier de
Guise en fut si convaincu et si pénétré de douleur que, dès ce jour,
il prit la résolution de ne penser jamais à être aimé de Mme de
Clèves. Mais pour quitter cette entreprise, qui lui avait paru si
difficile et si glorieuse, il en fallait quelque autre dont la grandeur
pût l'occuper. Il se mit dans l'esprit de prendre Rhodes, dont il
avait déjà eu quelque pensée ; et, quand la mort l'ôta du monde
dans la fleur de sa jeunesse, et dans le temps qu'il avait acquis
la réputation d'un des plus grands princes de son siècle, le seul
regret qu'il témoigna de quitter la vie fut de n'avoir pu exécuter
une si belle résolution, dont il croyait le succès infaillible par tous
les soins qu'il en avait pris [1].

Mme de Clèves, en sortant de la lice, alla chez la reine, l'esprit
bien occupé de ce qui s'était passé. M. de Nemours y vint peu de
temps après, habillé magnifiquement, et comme un homme qui
ne se sentait pas de [2] l'accident qui lui était arrivé. Il paraissait
même plus gai que de coutume ; et la joie de ce qu'il croyait avoir
vu lui donnait un air qui augmentait encore son agrément. Tout le
monde fut surpris lorsqu'il entra, et il n'y eut personne qui ne lui

---

1. Le chevalier de Guise est mort en 1563 après avoir combattu avec ardeur
contre les Turcs lors d'une bataille navale devant Rhodes en 1557.
2. *Ne se sentait pas de* : ne se ressentait pas de.

demandât de ses nouvelles, excepté Mme de Clèves, qui demeura
auprès de la cheminée sans faire semblant de le voir. Le roi sortit
d'un cabinet où il était et, le voyant parmi les autres, il l'appela
pour lui parler de son aventure. M. de Nemours passa auprès de
Mme de Clèves et lui dit tout bas :

«J'ai reçu aujourd'hui des marques de votre pitié, Madame ;
mais ce n'est pas de celles dont je suis le plus digne.»

Mme de Clèves s'était bien doutée que ce prince s'était aperçu
de la sensibilité qu'elle avait eue pour lui, et ses paroles lui firent
voir qu'elle ne s'était pas trompée. Ce lui était une grande douleur de voir qu'elle n'était plus maîtresse de cacher ses sentiments
et de les avoir laissé paraître au chevalier de Guise. Elle en avait
aussi beaucoup que M. de Nemours les connût ; mais cette dernière douleur n'était pas si entière, et elle était mêlée de quelque
sorte de douceur.

La reine dauphine, qui avait une extrême impatience de savoir
ce qu'il y avait dans la lettre que Chastelart lui avait donnée,
s'approcha de Mme de Clèves :

«Allez lire cette lettre, lui dit-elle ; elle s'adresse à M. de
Nemours et, selon les apparences, elle est de cette maîtresse pour
qui il a quitté toutes les autres. Si vous ne la pouvez lire présentement, gardez-la ; venez ce soir à mon coucher pour me la rendre
et pour me dire si vous en connaissez l'écriture.»

Mme la dauphine quitta Mme de Clèves après ces paroles et
la laissa si étonnée et dans un si grand saisissement qu'elle fut
quelque temps sans pouvoir sortir de sa place. L'impatience et
le trouble où elle était ne lui permirent pas de demeurer chez
la reine ; elle s'en alla chez elle, quoiqu'il ne fût pas l'heure où
elle avait accoutumé de se retirer ; elle tenait cette lettre avec une
main tremblante ; ses pensées étaient si confuses qu'elle n'en
avait aucune distincte ; et elle se trouvait dans une sorte de douleur insupportable, qu'elle ne connaissait point et qu'elle n'avait
jamais sentie. Sitôt qu'elle fut dans son cabinet, elle ouvrit cette
lettre, et la trouva telle :

LETTRE

Je vous ai trop aimé pour vous laisser croire que le changement
qui vous paraît en moi soit un effet de ma légèreté ; je veux vous
970 *apprendre que votre infidélité en est la cause. Vous êtes bien surpris*
que je vous parle de votre infidélité ; vous me l'aviez cachée avec
tant d'adresse, et j'ai pris tant de soin de vous cacher que je la
savais, que vous avez raison d'être étonné qu'elle me soit connue. Je
suis surprise moi-même que j'aie pu ne vous en rien faire paraître.
975 *Jamais douleur n'a été pareille à la mienne. Je croyais que vous*
aviez pour moi une passion violente ; je ne vous cachais plus celle
que j'avais pour vous ; et, dans le temps que je vous la laissais voir
tout entière, j'appris que vous me trompiez, que vous en aimiez une
autre et que, selon toutes les apparences, vous me sacrifiiez à cette
980 *nouvelle maîtresse. Je le sus le jour de la course de bague ; c'est ce*
qui fit que je n'y allai point. Je feignis d'être malade pour cacher
le désordre de mon esprit ; mais je le devins en effet, et mon corps
ne put supporter une si violente agitation. Quand je commençai à
me porter mieux, je feignis encore d'être fort mal, afin d'avoir un
985 *prétexte de ne vous point voir et de ne vous point écrire. Je voulus*
avoir du temps pour résoudre de quelle sorte j'en devais user avec
vous ; je pris et je quittai vingt fois les mêmes résolutions ; mais
enfin je vous trouvai indigne de voir ma douleur, et je résolus
de ne vous la point faire paraître. Je voulus blesser votre orgueil
990 *en vous faisant voir que ma passion s'affaiblissait d'elle-même.*
Je crus diminuer par là le prix du sacrifice que vous en faisiez ;
je ne voulus pas que vous eussiez le plaisir de montrer combien
je vous aimais pour en paraître plus aimable. Je résolus de vous
écrire des lettres tièdes et languissantes pour jeter dans l'esprit de
995 *celle à qui vous les donniez que l'on cessait de vous aimer. Je ne*
voulus pas qu'elle eût le plaisir d'apprendre que je savais qu'elle
triomphait de moi, ni augmenter son triomphe par mon désespoir
et par mes reproches. Je pensais que je ne vous punirais pas assez
en rompant avec vous, et que je ne vous donnerais qu'une légère

1000 *douleur si je cessais de vous aimer lorsque vous ne m'aimiez plus.*
Je trouvai qu'il fallait que vous m'aimassiez pour sentir le mal de
n'être point aimé, que j'éprouvais si cruellement. Je crus que si
quelque chose pouvait rallumer les sentiments que vous aviez eus
pour moi, c'était de vous faire voir que les miens étaient changés;
1005 *mais de vous le faire voir en feignant de vous le cacher, et comme*
si je n'eusse pas eu la force de vous l'avouer. Je m'arrêtai à cette
résolution; mais qu'elle me fut difficile à prendre, et qu'en vous
revoyant elle me parut impossible à exécuter! Je fus prête cent fois
à éclater par mes reproches et par mes pleurs; l'état où j'étais
1010 *encore par ma santé me servit à vous déguiser mon trouble et mon*
affliction. Je fus soutenue ensuite par le plaisir de dissimuler avec
vous, comme vous dissimuliez avec moi; néanmoins, je me faisais
une si grande violence pour vous dire et pour vous écrire que je
vous aimais que vous vîtes plus tôt que je n'avais eu dessein de
1015 *vous laisser voir que mes sentiments étaient changés. Vous en fûtes*
blessé; vous vous en plaignîtes. Je tâchais de vous rassurer; mais
c'était d'une manière si forcée que vous en étiez encore mieux
persuadé que je ne vous aimais plus. Enfin, je fis tout ce que j'avais
eu intention de faire. La bizarrerie de votre cœur vous fit revenir
1020 *vers moi, à mesure que vous voyiez que je m'éloignais de vous.*
J'ai joui de tout le plaisir que peut donner la vengeance; il m'a
paru que vous m'aimiez mieux que vous n'aviez jamais fait, et je
vous ai fait voir que je ne vous aimais plus. J'ai eu lieu de croire
que vous aviez entièrement abandonné celle pour qui vous m'aviez
1025 *quittée. J'ai eu aussi des raisons pour être persuadée que vous ne*
lui aviez jamais parlé de moi; mais votre retour et votre discrétion
n'ont pu réparer votre légèreté. Votre cœur a été partagé entre
moi et une autre, vous m'avez trompée; cela suffit pour m'ôter le
plaisir d'être aimée de vous, comme je croyais mériter de l'être, et
1030 *pour me laisser dans cette résolution que j'ai prise de ne vous voir*
jamais, et dont vous êtes si surpris.

Mme de Clèves lut cette lettre et la relut plusieurs fois, sans savoir néanmoins ce qu'elle avait lu. Elle voyait seulement que M. de Nemours ne l'aimait pas comme elle l'avait pensé, et qu'il en aimait d'autres qu'il trompait comme elle. Quelle vue et quelle connaissance pour une personne de son humeur, qui avait une passion violente, qui venait d'en donner des marques à un homme qu'elle en jugeait indigne, et à un autre qu'elle maltraitait pour l'amour de lui! Jamais affliction n'a été si piquante et si vive : il lui semblait que ce qui faisait l'aigreur de cette affliction était ce qui s'était passé dans cette journée, et que, si M. de Nemours n'eût point eu lieu de croire qu'elle l'aimait, elle ne se fût pas souciée qu'il en eût aimé une autre. Mais elle se trompait elle-même; et ce mal, qu'elle trouvait si insupportable, était la jalousie avec toutes les horreurs dont elle peut être accompagnée [1]. Elle voyait par cette lettre que M. de Nemours avait une galanterie depuis longtemps. Elle trouvait que celle qui avait écrit la lettre avait de l'esprit et du mérite; elle lui paraissait digne d'être aimée; elle lui trouvait plus de courage qu'elle ne s'en trouvait à elle-même, et elle enviait la force qu'elle avait eue de cacher ses sentiments à M. de Nemours. Elle voyait par la fin de la lettre que cette personne se croyait aimée; elle pensait que la discrétion que ce prince lui avait fait paraître, et dont elle avait été si touchée, n'était peut-être que l'effet de la passion qu'il avait pour cette autre personne à qui il craignait de déplaire. Enfin elle pensait tout ce qui pouvait augmenter son affliction et son désespoir. Quels retours ne fit-elle point sur elle-même! quelles réflexions sur les conseils que sa mère lui avait donnés! Combien se repentit-elle de ne s'être pas opiniâtrée à se séparer du commerce du monde, malgré M. de Clèves, ou de n'avoir pas suivi la pensée qu'elle avait eue de lui avouer l'inclination qu'elle avait pour M. de Nemours! Elle trouvait qu'elle aurait mieux fait de la découvrir à un mari dont elle connaissait la bonté, et qui aurait eu

---

1. La jalousie est un sentiment aliénant, surtout pour les précieuses.

intérêt à la cacher, que de la laisser voir à un homme qui en était indigne, qui la trompait, qui la sacrifiait peut-être, et qui ne pensait à être aimé d'elle que par un sentiment d'orgueil et de vanité. Enfin, elle trouva que tous les maux qui lui pouvaient arriver, et toutes les extrémités où elle se pouvait porter, étaient moindres que d'avoir laissé voir à M. de Nemours qu'elle l'aimait, et de connaître qu'il en aimait une autre. Tout ce qui la consolait était de penser au moins qu'après cette connaissance, elle n'avait plus rien à craindre d'elle-même, et qu'elle serait entièrement guérie de l'inclination qu'elle avait pour ce prince.

Elle ne pensa guère à l'ordre que Mme la dauphine lui avait donné de se trouver à son coucher ; elle se mit au lit et feignit de se trouver mal ; en sorte que quand M. de Clèves revint de chez le roi, on lui dit qu'elle était endormie ; mais elle était bien éloignée de la tranquillité qui conduit au sommeil. Elle passa la nuit sans faire autre chose que s'affliger et relire la lettre qu'elle avait entre les mains.

Mme de Clèves n'était pas la seule personne dont cette lettre troublait le repos. Le vidame de Chartres, qui l'avait perdue, et non pas M. de Nemours, en était dans une extrême inquiétude ; il avait passé tout le soir chez M. de Guise, qui avait donné un grand souper au duc de Ferrare son beau-frère, et à toute la jeunesse de la cour. Le hasard fit qu'en soupant on parla de jolies lettres. Le vidame de Chartres dit qu'il en avait une sur lui, plus jolie que toutes celles qui avaient jamais été écrites. On le pressa de la montrer : il s'en défendit. M. de Nemours lui soutint qu'il n'en avait point et qu'il ne parlait que par vanité. Le vidame lui répondit qu'il poussait sa discrétion à bout, que néanmoins il ne montrerait pas la lettre, mais qu'il en lirait quelques endroits, qui feraient juger que peu d'hommes en recevaient de pareilles. En même temps, il voulut prendre cette lettre, et ne la trouva point ; il la chercha inutilement, on lui en fit la guerre ; mais il parut si inquiet que l'on cessa de lui en parler. Il se retira plus tôt que les autres, et s'en alla chez lui avec impatience, pour voir s'il n'y avait point laissé la lettre qui lui manquait. Comme il la cherchait encore, un premier valet de chambre de la reine le vint trouver, pour lui dire que la vicomtesse d'Uzès avait cru nécessaire de l'avertir en diligence que l'on avait dit chez la reine qu'il était tombé une lettre de galanterie de sa poche pendant qu'il était au jeu de paume ; que l'on avait raconté une grande partie de ce qui était dans la lettre ; que la reine avait témoigné beaucoup de curiosité de la voir ; qu'elle l'avait envoyé demander à un de ses gentilshommes servants, mais qu'il avait répondu qu'il l'avait laissée entre les mains de Chastelart.

Le premier valet de chambre dit encore beaucoup d'autres choses au vidame de Chartres, qui achevèrent de lui donner un grand trouble. Il sortit à l'heure même pour aller chez un gentilhomme qui était ami intime de Chastelart ; il le fit lever, quoique l'heure fût extraordinaire, pour aller demander cette lettre, sans dire qui était celui qui la demandait, et qui l'avait perdue. Chastelart, qui avait l'esprit prévenu qu'elle était à M. de Nemours, et que ce prince était amoureux de Mme la dauphine, ne douta point que ce ne fût lui qui la faisait redemander. Il répondit, avec une maligne joie, qu'il avait remis la lettre entre les mains de la reine dauphine. Le gentilhomme vint faire cette réponse au vidame de Chartres. Elle augmenta l'inquiétude qu'il avait déjà, et y en joignit encore de nouvelles ; après avoir été longtemps irrésolu sur ce qu'il devait faire, il trouva qu'il n'y avait que M. de Nemours qui pût lui aider à sortir de l'embarras où il était.

Il s'en alla chez lui, et entra dans sa chambre que le jour ne commençait qu'à paraître. Ce prince dormait d'un sommeil tranquille ; ce qu'il avait vu le jour précédent de Mme de Clèves, ne lui avait donné que des idées agréables. Il fut bien surpris de se voir éveillé par le vidame de Chartres ; et il lui demanda si c'était pour se venger de ce qu'il lui avait dit pendant le souper qu'il venait troubler son repos. Le vidame lui fit bien juger par son visage, qu'il n'y avait rien que de sérieux au sujet qui l'amenait.

«Je viens vous confier la plus importante affaire de ma vie, lui dit-il. Je sais bien que vous ne m'en devez pas être obligé, puisque c'est dans un temps où j'ai besoin de votre secours ; mais je sais bien aussi que j'aurais perdu de votre estime si je vous avais appris tout ce que je vais vous dire sans que la nécessité m'y eût contraint. J'ai laissé tomber cette lettre dont je parlais hier au soir ; il m'est d'une conséquence extrême que personne ne sache qu'elle s'adresse à moi. Elle a été vue de beaucoup de gens qui étaient dans le jeu de paume où elle tomba hier ; vous y étiez aussi, et je vous demande en grâce de vouloir bien dire que c'est vous qui l'avez perdue.

– Il faut que vous croyiez que je n'ai point de maîtresse, reprit M. de Nemours en souriant, pour me faire une pareille proposition, et pour vous imaginer qu'il n'y ait personne avec qui je me puisse brouiller en laissant croire que je reçois de pareilles lettres.

– Je vous prie, dit le vidame, écoutez-moi sérieusement. Si vous avez une maîtresse, comme je n'en doute point, quoique je ne sache pas qui elle est, il vous sera aisé de vous justifier et je vous en donnerai les moyens infaillibles ; quand vous ne vous justifieriez pas auprès d'elle, il ne vous en peut coûter que d'être brouillé pour quelques moments ; mais moi, par cette aventure, je déshonore une personne qui m'a passionnément aimé, et qui est une des plus estimables femmes du monde ; et, d'un autre côté, je m'attire une haine implacable, qui me coûtera ma fortune et peut-être quelque chose de plus.

– Je ne puis entendre tout ce que vous me dites, répondit M. de Nemours ; mais vous me faites entrevoir que les bruits qui ont couru de l'intérêt qu'une grande princesse prenait à vous ne sont pas entièrement faux.

– Ils ne le sont pas aussi, repartit le vidame de Chartres ; et plût à Dieu qu'ils le fussent, je ne me trouverais pas dans l'embarras où je me trouve ; mais il faut vous raconter tout ce qui s'est passé, pour vous faire voir tout ce que j'ai à craindre [1].

---

1. Début de la quatrième et dernière digression.

«Depuis que je suis à la cour, la reine m'a toujours traité avec
beaucoup de distinction et d'agrément, et j'avais eu lieu de croire
qu'elle avait de la bonté pour moi; néanmoins, il n'y avait rien
de particulier, et je n'avais jamais songé à avoir d'autres sentiments pour elle que ceux du respect. J'étais même fort amoureux
de Mme de Thémines; il est aisé de juger en la voyant, qu'on
peut avoir beaucoup d'amour pour elle quand on en est aimé,
et je l'étais. Il y a près de deux ans que, comme la cour était à
Fontainebleau, je me trouvai deux ou trois fois en conversation
avec la reine à des heures où il y avait très peu de monde. Il
me parut que mon esprit lui plaisait et qu'elle entrait dans tout
ce que je disais. Un jour, entre autres, on se mit à parler de la
confiance. Je dis qu'il n'y avait personne en qui j'en eusse une
entière; que je trouvais que l'on se repentait toujours d'en avoir
et que je savais beaucoup de choses dont je n'avais jamais parlé.
La reine me dit qu'elle m'en estimait davantage; qu'elle n'avait
trouvé personne en France qui eût du secret[1], et que c'était ce
qui l'avait le plus embarrassée, parce que cela lui avait ôté le
plaisir de donner sa confiance; que c'était une chose nécessaire
dans la vie que d'avoir quelqu'un à qui on pût parler, et surtout
pour les personnes de son rang. Les jours suivants, elle reprit
encore plusieurs fois la même conversation; elle m'apprit même
des choses assez particulières qui se passaient. Enfin, il me sembla qu'elle souhaitait de s'assurer de mon secret, et qu'elle avait
envie de me confier les siens. Cette pensée m'attacha à elle, je fus
touché de cette distinction, et je lui fis ma cour avec beaucoup
plus d'assiduité que je n'avais accoutumé. Un soir que le roi et
toutes les dames s'étaient allés promener à cheval dans la forêt,
où elle n'avait pas voulu aller parce qu'elle s'était trouvée un peu
mal, je demeurai auprès d'elle; elle descendit au bord de l'étang,
et quitta la main de ses écuyers pour marcher avec plus de liberté.

---

1. Secret : discrétion; être indiscret dans une relation amoureuse est une
faute grave selon les codes précieux.

1195 Après qu'elle eut fait quelques tours, elle s'approcha de moi, et
m'ordonna de la suivre. "Je veux vous parler, me dit-elle ; et vous
verrez, par ce que je veux vous dire, que je suis de vos amies."
Elle s'arrêta à ces paroles et, me regardant fixement : "Vous êtes
amoureux, continua-t-elle et, parce que vous ne vous fiez peut-être
1200 à personne, vous croyez que votre amour n'est pas su ; mais il
est connu, et même des personnes intéressées. On vous observe,
on sait les lieux où vous voyez votre maîtresse, on a dessein de
vous y surprendre. Je ne sais qui elle est, je ne vous le demande
point, et je veux seulement vous garantir des malheurs où vous
1205 pouvez tomber." Voyez, je vous prie, quel piège me tendait la
reine et combien il était difficile de n'y pas tomber. Elle voulait
savoir si j'étais amoureux ; et, en ne me demandant point de qui
je l'étais, et en ne me laissant voir que la seule intention de me
faire plaisir, elle m'ôtait la pensée qu'elle me parlât par curiosité
1210 ou par dessein.

«Cependant, contre toutes sortes d'apparences, je démêlai la
vérité. J'étais amoureux de Mme de Thémines ; mais quoiqu'elle
m'aimât, je n'étais pas assez heureux pour avoir des lieux particuliers [1] à la voir, et pour craindre d'y être surpris ; et ainsi je vis
1215 bien que ce ne pouvait être elle dont la reine voulait parler. Je
savais bien aussi que j'avais un commerce de galanterie avec une
autre femme moins belle et moins sévère que Mme de Thémines,
et qu'il n'était pas impossible que l'on eût découvert le lieu où je
la voyais ; mais, comme je m'en souciais peu, il m'était aisé de me
1220 mettre à couvert de toutes sortes de périls en cessant de la voir.
Ainsi, je pris le parti de ne rien avouer à la reine et de l'assurer
au contraire qu'il y avait très longtemps que j'avais abandonné
le désir de me faire aimer des femmes dont je pouvais espérer de
l'être, parce que je les trouvais quasi toutes indignes d'attacher
1225 un honnête homme, et qu'il n'y avait que quelque chose fort
au-dessus d'elles qui pût m'engager. "Vous ne me répondez pas

---

1. *Particuliers* : privés.

sincèrement, répliqua la reine; je sais le contraire de ce que vous me dites. La manière dont je vous parle vous doit obliger à ne me rien cacher. Je veux que vous soyez de mes amis, continua-t-elle;
1230 mais je ne veux pas, en vous donnant cette place, ignorer quels sont vos attachements. Voyez si vous la voulez acheter au prix de me les apprendre : je vous donne deux jours pour y penser; mais, après ce temps-là, songez bien à ce que vous me direz, et souvenez-vous que si dans la suite je trouve que vous m'ayez trompée,
1235 je ne vous le pardonnerai de ma vie."

«La reine me quitta après m'avoir dit ces paroles, sans attendre ma réponse. Vous pouvez croire que je demeurai l'esprit bien rempli de ce qu'elle me venait de dire. Les deux jours qu'elle m'avait donnés pour y penser ne me parurent pas trop longs
1240 pour me déterminer [1]. Je voyais qu'elle voulait savoir si j'étais amoureux, et qu'elle ne souhaitait pas que je le fusse. Je voyais les suites et les conséquences du parti que j'allais prendre; ma vanité n'était pas peu flattée d'une liaison particulière avec une reine, et une reine dont la personne est encore extrêmement aimable.
1245 D'un autre côté, j'aimais Mme de Thémines et, quoique je lui fisse une espèce d'infidélité pour cette autre femme dont je vous ai parlé, je ne me pouvais résoudre à rompre avec elle. Je voyais aussi le péril où je m'exposais en trompant la reine, et combien il était difficile de la tromper; néanmoins, je ne pus me résoudre
1250 à refuser ce que la fortune m'offrait, et je pris le hasard de tout ce que ma mauvaise conduite pouvait m'attirer. Je rompis avec cette femme dont on pouvait découvrir le commerce, et j'espérai de cacher celui que j'avais avec Mme de Thémines.

«Au bout des deux jours que la reine m'avait donnés, comme
1255 j'entrais dans la chambre où toutes les dames étaient au cercle, elle me dit tout haut, avec un air grave qui me surprit : "Avez-vous pensé à cette affaire dont je vous ai chargé et en savez-vous la vérité?

---

1. *Me déterminer* : me décider.

– Oui, Madame, lui répondis-je, et elle est comme je l'ai dite à Votre Majesté.

– Venez ce soir à l'heure que je dois écrire, répliqua-t-elle, et j'achèverai de vous donner mes ordres." Je fis une profonde révérence sans rien répondre, et ne manquai pas de me trouver à l'heure qu'elle m'avait marquée. Je la trouvai dans la galerie où était son secrétaire et quelqu'une de ses femmes. Sitôt qu'elle me vit, elle vint à moi, et me mena à l'autre bout de la galerie. "Eh bien ! me dit-elle, est-ce après y avoir bien pensé que vous n'avez rien à me dire ? et la manière dont j'en use avec vous ne mérite-t-elle pas que vous me parliez sincèrement ?

– C'est parce que je vous parle sincèrement, Madame, lui répondis-je, que je n'ai rien à vous dire ; et je jure à Votre Majesté, avec tout le respect que je lui dois, que je n'ai d'attachement pour aucune femme de la cour.

– Je le veux croire, repartit la reine, parce que je le souhaite ; et je le souhaite, parce que je désire que vous soyez entièrement attaché à moi, et qu'il serait impossible que je fusse contente de votre amitié si vous étiez amoureux. On ne peut se fier à ceux qui le sont ; on ne peut s'assurer de leur secret. Ils sont trop distraits et trop partagés, et leur maîtresse leur fait une première occupation qui ne s'accorde point avec la manière dont je veux que vous soyez attaché à moi. Souvenez-vous donc que c'est sur la parole que vous me donnez, que vous n'avez aucun engagement, que je vous choisis pour vous donner toute ma confiance. Souvenez-vous que je veux la vôtre tout entière ; que je veux que vous n'ayez ni ami, ni amie, que ceux qui me seront agréables, et que vous abandonniez tout autre soin que celui de me plaire. Je ne vous ferai pas perdre celui de votre fortune ; je la conduirai avec plus d'application que vous-même et, quoi que je fasse pour vous, je m'en tiendrai trop bien récompensée si je vous trouve pour moi tel que je l'espère. Je vous choisis pour vous confier tous mes chagrins, et pour m'aider à les adoucir. Vous pouvez juger qu'ils ne sont pas médiocres. Je souffre en apparence sans beaucoup de peine l'attachement du roi pour la duchesse de Valentinois ; mais il m'est insupportable. Elle gouverne le roi, elle le trompe, elle me méprise, tous mes gens sont à elle. La reine ma belle-fille, fière de sa beauté et du crédit de ses oncles, ne me rend aucun devoir. Le connétable de Montmorency est maître du roi et du royaume ; il me hait, et m'a donné des marques de sa haine que je ne puis oublier. Le maréchal de Saint-André est un jeune favori audacieux, qui n'en use pas mieux avec moi que les autres. Le détail de mes malheurs vous ferait pitié ; je n'ai osé jusqu'ici me fier à personne, je me fie à vous ; faites que je ne m'en repente point et soyez ma seule consolation." Les yeux de la reine rougirent en achevant ces paroles ; je pensai me jeter à ses pieds, tant je fus véritablement touché de la bonté qu'elle me témoignait. Depuis ce jour-là, elle eut en moi une entière confiance ; elle ne fit plus rien sans m'en parler et j'ai conservé une liaison qui dure encore.»

TROISIÈME PARTIE

«Cependant, quelque rempli et quelque occupé que je fusse de cette nouvelle liaison avec la reine, je tenais à Mme de Thémines par une inclination naturelle que je ne pouvais vaincre. Il me parut qu'elle cessait de m'aimer et, au lieu que, si j'eusse été sage,
5 je me fusse servi du changement qui paraissait en elle pour aider à me guérir, mon amour en redoubla et je me conduisais si mal que la reine eut quelque connaissance de cet attachement. La jalousie est naturelle aux personnes de sa nation [1], et peut-être que cette princesse a pour moi des sentiments plus vifs qu'elle
10 ne pense elle-même. Mais enfin le bruit que j'étais amoureux lui donna de si grandes inquiétudes et de si grands chagrins que je me crus cent fois perdu auprès d'elle. Je la rassurai enfin à force de soins, de soumissions [2] et de faux serments ; mais je n'aurais pu la tromper longtemps si le changement de Mme de Thémines
15 ne m'avait détaché d'elle malgré moi. Elle me fit voir qu'elle ne m'aimait plus ; et j'en fus si persuadé, que je fus contraint de ne la pas tourmenter davantage et de la laisser en repos. Quelque temps après, elle m'écrivit cette lettre que j'ai perdue. J'appris par là qu'elle avait su le commerce [3] que j'avais eu avec cette autre

---

1. Catherine de Médicis est d'origine italienne.
2. Les «soumissions» sont des étapes de la conquête amoureuse chez les précieuses.
3. *Commerce* : ici, liaison.

20 femme dont je vous ai parlé et que c'était la cause de son changement. Comme je n'avais plus rien alors qui me partageât, la reine
était assez contente de moi ; mais comme les sentiments que j'ai
pour elle ne sont pas d'une nature à me rendre incapable de tout
autre attachement, et que l'on n'est pas amoureux par sa volonté,
25 je le suis devenu de Mme de Martigues, pour qui j'avais déjà eu
beaucoup d'inclination pendant qu'elle était Villemontais, fille[1]
de la reine dauphine. J'ai lieu de croire que je n'en suis pas haï ; la
discrétion que je lui fais paraître et dont elle ne sait pas toutes les
raisons, lui est agréable. La reine n'a aucun soupçon sur son sujet ;
30 mais elle en a un autre qui n'est guère moins fâcheux. Comme
Mme de Martigues est toujours chez la reine dauphine, j'y vais
aussi beaucoup plus souvent que de coutume. La reine s'est imaginé que c'est de cette princesse que je suis amoureux. Le rang de
la reine dauphine, qui est égal au sien, et la beauté et la jeunesse
35 qu'elle a au-dessus d'elle, lui donnent une jalousie qui va jusqu'à
la fureur et une haine contre sa belle-fille qu'elle ne saurait plus
cacher. Le cardinal de Lorraine, qui me paraît depuis longtemps
aspirer aux bonnes grâces de la reine et qui voit bien que j'occupe
une place qu'il voudrait remplir, sous prétexte de raccommoder
40 Mme la dauphine avec elle, est entré dans les différends qu'elles
ont eus ensemble. Je ne doute pas qu'il n'ait démêlé le véritable
sujet de l'aigreur de la reine et je crois qu'il me rend toutes sortes
de mauvais offices[2], sans lui laisser voir qu'il a dessein de me les
rendre. Voilà l'état où sont les choses à l'heure que je vous parle.
45 Jugez quel effet peut produire la lettre que j'ai perdue, et que
mon malheur m'a fait mettre dans ma poche pour la rendre à
Mme de Thémines. Si la reine voit cette lettre, elle connaîtra que
je l'ai trompée, et que presque dans le temps que je la trompais
pour Mme de Thémines, je trompais Mme de Thémines pour une
50 autre ; jugez quelle idée cela lui peut donner de moi et si elle peut

---

1. *Fille* : ici, fille d'honneur (voir note 4, p. 39).
2. *Mauvais offices* : actions ou paroles destinées à nuire à quelqu'un.

jamais se fier à mes paroles. Si elle ne voit point cette lettre, que lui dirai-je ? Elle sait qu'on l'a remise entre les mains de Mme la dauphine ; elle croira que Chastelart a reconnu l'écriture de cette reine et que la lettre est d'elle ; elle s'imaginera que la personne
55   dont on témoigne de la jalousie est peut-être elle-même ; enfin, il n'y a rien qu'elle n'ait lieu de penser et il n'y a rien que je ne doive craindre de ses pensées. Ajoutez à cela que je suis vivement touché de Mme de Martigues ; qu'assurément Mme la dauphine lui montrera cette lettre qu'elle croira écrite depuis peu ; ainsi
60   je serai également brouillé, et avec la personne du monde que j'aime le plus, et avec la personne du monde que je dois le plus craindre. Voyez après cela si je n'ai pas raison de vous conjurer de dire que la lettre est à vous, et de vous demander, en grâce, de l'aller retirer des mains de Mme la dauphine.
65   – Je vois bien, dit M. de Nemours, que l'on ne peut être dans un plus grand embarras que celui où vous êtes, et il faut avouer que vous le méritez. On m'a accusé de n'être pas un amant fidèle, et d'avoir plusieurs galanteries à la fois ; mais vous me passez [1] de si loin que je n'aurais seulement osé imaginer les choses que vous
70   avez entreprises. Pouviez-vous prétendre de conserver Mme de Thémines en vous engageant avec la reine et espériez-vous de vous engager avec la reine et de la pouvoir tromper ? Elle est italienne et reine, et par conséquent pleine de soupçons, de jalousie et d'orgueil ; quand votre bonne fortune, plutôt que votre bonne
75   conduite, vous a ôté des engagements où vous étiez, vous en avez pris de nouveaux et vous vous êtes imaginé qu'au milieu de la cour, vous pourriez aimer Mme de Martigues sans que la reine s'en aperçût. Vous ne pouviez prendre trop de soins de lui ôter la honte d'avoir fait les premiers pas. Elle a pour vous une
80   passion violente ; votre discrétion vous empêche de me le dire et la mienne de vous le demander ; mais enfin elle vous aime, elle a de la défiance, et la vérité est contre vous.

---

1. *Vous me passez* : vous me surpassez.

– Est-ce à vous à m'accabler de réprimandes, interrompit le vidame, et votre expérience ne vous doit-elle pas donner de l'indulgence pour mes fautes ? Je veux pourtant bien convenir que j'ai tort ; mais songez, je vous conjure, à me tirer de l'abîme où je suis. Il me paraît qu'il faudrait que vous vissiez la reine dauphine sitôt qu'elle sera éveillée pour lui redemander cette lettre, comme l'ayant perdue.

– Je vous ai déjà dit, reprit M. de Nemours, que la proposition que vous me faites est un peu extraordinaire et que mon intérêt particulier m'y peut faire trouver des difficultés ; mais, de plus, si l'on a vu tomber cette lettre de votre poche, il me paraît difficile de persuader qu'elle soit tombée de la mienne.

– Je croyais vous avoir appris, répondit le vidame, que l'on a dit à la reine dauphine que c'était de la vôtre qu'elle était tombée.

– Comment ! reprit brusquement M. de Nemours, qui vit dans ce moment les mauvais offices que cette méprise lui pouvait faire auprès de Mme de Clèves, l'on a dit à la reine dauphine que c'est moi qui ai laissé tomber cette lettre ?

– Oui, reprit le vidame, on le lui a dit. Et ce qui a fait cette méprise, c'est qu'il y avait plusieurs gentilshommes des reines dans une des chambres du jeu de paume où étaient nos habits et que vos gens et les miens les ont été quérir [1]. En même temps la lettre est tombée ; ces gentilshommes l'ont ramassée et l'ont lue tout haut. Les uns ont cru qu'elle était à vous et les autres à moi. Chastelart, qui l'a prise et à qui je viens de la faire demander, a dit qu'il l'avait donnée à la reine dauphine comme une lettre qui était à vous ; et ceux qui en ont parlé à la reine ont dit par malheur qu'elle était à moi ; ainsi vous pouvez faire aisément ce que je souhaite et m'ôter de l'embarras où je suis. »

M. de Nemours avait toujours fort aimé le vidame de Chartres, et ce qu'il était à Mme de Clèves le lui rendait encore plus cher.

---

1. **Quérir** : chercher.

115 Néanmoins il ne pouvait se résoudre à prendre le hasard [1] qu'elle
entendît parler de cette lettre comme d'une chose où il avait intérêt. Il se mit à rêver profondément, et le vidame se doutant à peu
près du sujet de sa rêverie :

«Je vois bien, lui dit-il, que vous craignez de vous brouiller
120 avec votre maîtresse, et même vous me donneriez lieu de croire
que c'est avec la reine dauphine, si le peu de jalousie que je vous
vois de M. d'Anville ne m'en ôtait la pensée ; mais, quoi qu'il en
soit, il est juste que vous ne sacrifiiez pas votre repos au mien et
je veux bien vous donner les moyens de faire voir à celle que vous
125 aimez que cette lettre s'adresse à moi et non pas à vous : voilà
un billet de Mme d'Amboise, qui est amie de Mme de Thémines,
et à qui elle s'est fiée [2] de tous les sentiments qu'elle a eus pour
moi. Par ce billet, elle me redemande cette lettre de son amie que
j'ai perdue ; mon nom est sur le billet ; et ce qui est dedans prouve
130 sans aucun doute que la lettre que l'on me redemande est la
même que l'on a trouvée. Je vous remets ce billet entre les mains
et je consens que vous le montriez à votre maîtresse pour vous
justifier. Je vous conjure de ne perdre pas un moment et d'aller,
dès ce matin, chez Mme la dauphine.»

135 M. de Nemours le promit au vidame de Chartres et prit le
billet de Mme d'Amboise. Néanmoins son dessein n'était pas de
voir la reine dauphine et il trouvait qu'il avait quelque chose
de plus pressé à faire. Il ne doutait pas qu'elle n'eût déjà parlé
de la lettre à Mme de Clèves et il ne pouvait supporter qu'une
140 personne qu'il aimait si éperdument eût lieu de croire qu'il eût
quelque attachement pour une autre.

Il alla chez elle à l'heure qu'il crut qu'elle pouvait être éveillée
et lui fit dire qu'il ne demanderait pas à avoir l'honneur de la
voir, à une heure si extraordinaire, si une affaire de conséquence [3]
145 ne l'y obligeait. Mme de Clèves était encore au lit, l'esprit aigri

---

1. *Prendre le hasard* : courir le risque.
2. *Fiée* : confiée.
3. *Une affaire de conséquence* : une affaire importante.

et agité de tristes pensées qu'elle avait eues pendant la nuit. Elle fut extrêmement surprise lorsqu'on lui dit que M. de Nemours la demandait ; l'aigreur où elle était ne la fit pas balancer [1] à répondre qu'elle était malade, et qu'elle ne pouvait lui parler.

150   Ce prince ne fut pas blessé de ce refus : une marque de froideur, dans un temps où elle pouvait avoir de la jalousie, n'était pas un mauvais augure [2]. Il alla à l'appartement de M. de Clèves, et lui dit qu'il venait de celui de madame sa femme, qu'il était bien fâché de ne la pouvoir entretenir, parce qu'il avait à lui par-
155 ler d'une affaire importante pour le vidame de Chartres. Il fit entendre en peu de mots à M. de Clèves la conséquence de cette affaire, et M. de Clèves le mena à l'heure même dans la chambre de sa femme. Si elle n'eût point été dans l'obscurité, elle eût eu peine à cacher son trouble et son étonnement de voir entrer
160 M. de Nemours conduit par son mari. M. de Clèves lui dit qu'il s'agissait d'une lettre, où l'on avait besoin de son secours pour les intérêts du vidame, qu'elle verrait avec M. de Nemours ce qu'il y avait à faire, et que, pour lui, il s'en allait chez le roi qui venait de l'envoyer quérir.

165   M. de Nemours demeura seul auprès de Mme de Clèves, comme il le pouvait souhaiter.

« Je viens vous demander, Madame, lui dit-il, si Mme la dauphine ne vous a point parlé d'une lettre que Chastelart lui remit hier entre les mains.

170   – Elle m'en a dit quelque chose, répondit Mme de Clèves ; mais je ne vois pas ce que cette lettre a de commun avec les intérêts de mon oncle et je vous puis assurer qu'il n'y est pas nommé.

    – Il est vrai, Madame, répliqua M. de Nemours, il n'y est pas
175 nommé ; néanmoins elle s'adresse à lui et il lui est très important que vous la retiriez des mains de Mme la dauphine.

---

1. *Balancer* : hésiter.
2. *Augure* : présage.

– J'ai peine à comprendre, reprit Mme de Clèves, pourquoi il lui importe que cette lettre soit vue et pourquoi il faut la redemander sous son nom.

180 – Si vous voulez vous donner le loisir de m'écouter, Madame, dit M. de Nemours, je vous ferai bientôt voir la vérité et vous apprendrez des choses si importantes pour M. le vidame que je ne les aurais pas même confiées à M. le prince de Clèves, si je n'avais eu besoin de son secours pour avoir l'honneur de vous

185 voir.

– Je pense que tout ce que vous prendriez la peine de me dire serait inutile, répondit Mme de Clèves avec un air assez sec, et il vaut mieux que vous alliez trouver la reine dauphine et que, sans chercher de détours, vous lui disiez l'intérêt que vous avez à cette

190 lettre, puisque aussi bien on lui a dit qu'elle vient de vous.»

L'aigreur que M. de Nemours voyait dans l'esprit de Mme de Clèves lui donnait le plus sensible plaisir qu'il eût jamais eu et balançait [1] son impatience de se justifier.

«Je ne sais, Madame, reprit-il, ce qu'on peut avoir dit à Mme la

195 dauphine ; mais je n'ai aucun intérêt à cette lettre et elle s'adresse à M. le vidame.

– Je le crois, répliqua Mme de Clèves ; mais on a dit le contraire à la reine dauphine, et il ne lui paraîtra pas vraisemblable que les lettres de M. le vidame tombent de vos poches. C'est pourquoi,

200 à moins que vous n'ayez quelque raison que je ne sais point à cacher la vérité à la reine dauphine, je vous conseille de la lui avouer.

– Je n'ai rien à lui avouer, reprit-il ; la lettre ne s'adresse pas à moi et, s'il y a quelqu'un que je souhaite d'en persuader, ce n'est

205 pas Mme la dauphine. Mais, Madame, comme il s'agit en ceci de la fortune de M. le vidame, trouvez bon que je vous apprenne des choses qui sont même dignes de votre curiosité.»

---

1. Balançait : ici, tempérait.

Mme de Clèves témoigna par son silence qu'elle était prête à l'écouter, et M. de Nemours lui conta, le plus succinctement qu'il lui fut possible, tout ce qu'il venait d'apprendre du vidame. Quoique ce fussent des choses propres à donner de l'étonnement et à être écoutées avec attention, Mme de Clèves les entendit avec une froideur si grande qu'il semblait qu'elle ne les crût pas véritables ou qu'elles lui fussent indifférentes. Son esprit demeura dans cette situation jusqu'à ce que M. de Nemours lui parlât du billet de Mme d'Amboise, qui s'adressait au vidame de Chartres et qui était la preuve de tout ce qu'il lui venait de dire. Comme Mme de Clèves savait que cette femme était amie de Mme de Thémines, elle trouva une apparence de vérité à ce que lui disait M. de Nemours, qui lui fit penser que la lettre ne s'adressait peut-être pas à lui. Cette pensée la tira tout d'un coup, et malgré elle, de la froideur qu'elle avait eue jusqu'alors. Ce prince, après lui avoir lu ce billet qui faisait sa justification, le lui présenta pour le lire et lui dit qu'elle en pouvait connaître l'écriture; elle ne put s'empêcher de le prendre, de regarder le dessus pour voir s'il s'adressait au vidame de Chartres et de le lire tout entier pour juger si la lettre que l'on redemandait était la même qu'elle avait entre les mains. M. de Nemours lui dit encore tout ce qu'il crut propre à la persuader; et, comme on persuade aisément une vérité agréable, il convainquit Mme de Clèves qu'il n'avait point de part à cette lettre.

Elle commença alors à raisonner avec lui sur l'embarras et le péril où était le vidame, à le blâmer de sa méchante conduite, à chercher les moyens de le secourir. Elle s'étonna du procédé de la reine, elle avoua à M. de Nemours qu'elle avait la lettre, enfin sitôt qu'elle le crut innocent, elle entra avec un esprit ouvert et tranquille dans les mêmes choses qu'elle semblait d'abord ne daigner pas entendre. Ils convinrent qu'il ne fallait point rendre la lettre à la reine dauphine, de peur qu'elle ne la montrât à Mme de Martigues, qui connaissait l'écriture de Mme de Thémines et qui aurait aisément deviné, par l'intérêt qu'elle prenait au vidame, qu'elle s'adressait à lui. Ils trouvèrent aussi qu'il ne fallait pas confier à la reine dauphine tout ce qui regardait la reine sa belle-mère. Mme de Clèves, sous le prétexte des affaires de son oncle, entrait avec plaisir à garder tous les secrets que M. de Nemours lui confiait.

Ce prince ne lui eût pas toujours parlé des intérêts du vidame [1], et la liberté où il se trouvait de l'entretenir lui eût donné une hardiesse [2] qu'il n'avait encore osé prendre, si l'on ne fût venu dire à Mme de Clèves que la reine dauphine lui ordonnait de l'aller trouver. M. de Nemours fut contraint de se retirer ; il alla trouver le vidame pour lui dire qu'après l'avoir quitté, il avait pensé qu'il était plus à propos de s'adresser à Mme de Clèves, qui était sa nièce, que d'aller droit à Mme la dauphine. Il ne manqua pas de raisons pour faire approuver ce qu'il avait fait et pour en faire espérer un bon succès.

Cependant Mme de Clèves s'habilla en diligence pour aller chez la reine. À peine parut-elle dans sa chambre, que cette princesse la fit approcher et lui dit tout bas :

«Il y a deux heures que je vous attends, et jamais je n'ai été si embarrassée à déguiser la vérité que je l'ai été ce matin. La reine a entendu parler de la lettre que je vous donnai hier ; elle croit que c'est le vidame de Chartres qui l'a laissée tomber. Vous savez qu'elle y prend quelque intérêt : elle a fait chercher cette lettre, elle l'a fait demander à Chastelart ; il a dit qu'il me l'avait donnée : on me l'est venu demander sur le prétexte que c'était une jolie lettre qui donnait de la curiosité à la reine. Je n'ai osé dire que vous l'aviez ; je crus qu'elle s'imaginerait que je vous l'avais mise entre les mains à cause du vidame votre oncle, et qu'il y aurait une grande intelligence entre lui et moi. Il m'a déjà paru qu'elle souffrait avec peine qu'il me vît souvent, de sorte que j'ai

---

1. *Ne lui eût pas toujours parlé des intérêts du vidame* : lui eût parlé d'autre chose que des intérêts du vidame.
2. *Hardiesse* : témérité.

dit que la lettre était dans les habits que j'avais hier et que ceux qui en avaient la clef étaient sortis. Donnez-moi promptement cette lettre, ajouta-t-elle, afin que je la lui envoie et que je la lise
275 avant que de l'envoyer pour voir si je n'en connaîtrai point l'écriture.»

Mme de Clèves se trouva encore plus embarrassée qu'elle n'avait pensé.

«Je ne sais, madame, comment vous ferez, répondit-elle; car
280 M. de Clèves, à qui je l'avais donnée à lire, l'a rendue à M. de Nemours qui est venu dès ce matin le prier de vous la redemander. M. de Clèves a eu l'imprudence de lui dire qu'il l'avait, et il a eu la faiblesse de céder aux prières que M. de Nemours lui a faites de la lui rendre.

285 – Vous me mettez dans le plus grand embarras où je puisse jamais être, repartit Mme la dauphine, et vous avez tort d'avoir rendu cette lettre à M. de Nemours; puisque c'était moi qui vous l'avais donnée, vous ne deviez point la rendre sans ma permission. Que voulez-vous que je dise à la reine et que pourra-t-elle
290 s'imaginer? Elle croira, et avec apparence, que cette lettre me regarde et qu'il y a quelque chose entre le vidame et moi. Jamais on ne lui persuadera que cette lettre soit à M. de Nemours.

– Je suis très affligée, répondit Mme de Clèves, de l'embarras que je vous cause. Je le crois aussi grand qu'il est; mais c'est la
295 faute de M. de Clèves et non pas la mienne.

– C'est la vôtre, répliqua Mme la dauphine, de lui avoir donné la lettre, et il n'y a que vous de femme au monde qui fasse confidence à son mari de toutes les choses qu'elle sait[1].

– Je crois que j'ai tort, Madame, répliqua Mme de Clèves;
300 mais songez à réparer ma faute et non pas à l'examiner.

– Ne vous souvenez-vous point, à peu près, de ce qui est dans cette lettre? dit alors la reine dauphine.

─────────────────

1. Cette remarque annonce elle aussi la scène de l'aveu de Mme de Clèves à son mari, p. 141.

– Oui, Madame, répondit-elle, je m'en souviens et l'ai relue plus d'une fois.

305 – Si cela est, reprit Mme la dauphine, il faut que vous alliez tout à l'heure[1] la faire écrire d'une main inconnue. Je l'enverrai à la reine : elle ne la montrera pas à ceux qui l'ont vue. Quand elle le ferait, je soutiendrai toujours que c'est celle que Chastelart m'a donnée et il n'oserait dire le contraire. »

310 Mme de Clèves entra dans cet expédient[2], et d'autant plus qu'elle pensait qu'elle enverrait quérir M. de Nemours pour ravoir la lettre même, afin de la faire copier mot à mot et d'en faire à peu près imiter l'écriture, et elle crut que la reine y serait infailliblement trompée. Sitôt qu'elle fut chez elle, elle conta à son 315 mari l'embarras de Mme la dauphine, et le pria d'envoyer chercher M. de Nemours. On le chercha ; il vint en diligence. Mme de Clèves lui dit tout ce qu'elle avait déjà appris à son mari et lui demanda la lettre ; mais M. de Nemours répondit qu'il l'avait déjà rendue au vidame de Chartres, qui avait eu tant de joie de la 320 ravoir et de se trouver hors du péril qu'il aurait couru, qu'il l'avait renvoyée à l'heure même à l'amie de Mme de Thémines. Mme de Clèves se retrouva dans un nouvel embarras ; et enfin, après avoir bien consulté, ils résolurent de faire la lettre de mémoire. Ils s'enfermèrent pour y travailler. On donna ordre à la porte de 325 ne laisser entrer personne, et on renvoya tous les gens de M. de Nemours. Cet air de mystère et de confidence n'était pas d'un médiocre charme pour ce prince et même pour Mme de Clèves. La présence de son mari et les intérêts du vidame de Chartres la rassuraient en quelque sorte sur ses scrupules ; elle ne sentait que 330 le plaisir de voir M. de Nemours, elle en avait une joie pure et sans mélange qu'elle n'avait jamais sentie. Cette joie lui donnait une liberté et un enjouement dans l'esprit que M. de Nemours ne lui avait jamais vus et qui redoublaient son amour. Comme il

---

1. *Tout à l'heure* : tout de suite.
2. *Entra dans cet expédient* : accepta cet arrangement.

n'avait point eu encore de si agréables moments, sa vivacité en
335 était augmentée; et quand Mme de Clèves voulut commencer à
se souvenir de la lettre et à l'écrire, ce prince, au lieu de lui aider
sérieusement, ne faisait que l'interrompre et lui dire des choses
plaisantes. Mme de Clèves entra dans le même esprit de gaieté,
de sorte qu'il y avait déjà longtemps qu'ils étaient enfermés et on
340 était déjà venu deux fois de la part de la reine dauphine pour dire
à Mme de Clèves de se dépêcher, qu'ils n'avaient pas encore fait
la moitié de la lettre.

M. de Nemours était bien aise de faire durer un temps qui lui
était si agréable et oubliait les intérêts de son ami. Mme de Clèves
345 ne s'ennuyait pas et oubliait aussi les intérêts de son oncle. Enfin,
à peine à quatre heures la lettre était-elle achevée, et elle était si
mal, et l'écriture dont on la fit copier ressemblait si peu à celle
que l'on avait eu dessein d'imiter qu'il eût fallu que la reine n'eût
guère pris de soin d'éclaircir la vérité pour ne la pas connaître.
350 Aussi n'y fut-elle pas trompée : quelque soin que l'on prît de
lui persuader que cette lettre s'adressait à M. de Nemours, elle
demeura convaincue, non seulement qu'elle était au vidame de
Chartres, mais elle crut que la reine dauphine y avait part et qu'il
y avait quelque intelligence entre eux. Cette pensée augmenta
355 tellement la haine qu'elle avait pour cette princesse qu'elle ne lui
pardonna jamais et qu'elle la persécuta jusqu'à ce qu'elle l'eût
fait sortir de France [1].

Pour le vidame de Chartres, il fut ruiné [2] auprès d'elle, et,
soit que le cardinal de Lorraine se fût déjà rendu maître de son
360 esprit, ou que l'aventure de cette lettre, qui lui fit voir qu'elle
était trompée, lui aidât à démêler les autres tromperies que le
vidame lui avait déjà faites, il est certain qu'il ne put jamais se
raccommoder sincèrement avec elle. Leur liaison se rompit, et

---

1. Marie Stuart dut quitter la France à la mort de son mari, François II, en
1560. Elle regagna l'Écosse pour y régner.
2. *Fut ruiné* : perdit tout crédit.

elle le perdit ensuite à la conjuration d'Amboise [1] où il se trouva
365 embarrassé [2].

Après qu'on eut envoyé la lettre à Mme la dauphine, M. de
Clèves et M. de Nemours s'en allèrent. Mme de Clèves demeura
seule, et sitôt qu'elle ne fut plus soutenue par cette joie que donne
la présence de ce que l'on aime, elle revint comme d'un songe ;
370 elle regarda avec étonnement la prodigieuse différence de l'état
où elle était le soir d'avec celui où elle se trouvait alors ; elle se
remit devant les yeux l'aigreur et la froideur qu'elle avait fait
paraître à M. de Nemours, tant qu'elle avait cru que la lettre de
Mme de Thémines s'adressait à lui ; quel calme et quelle douceur
375 avaient succédé à cette aigreur, sitôt qu'il l'avait persuadée que
cette lettre ne le regardait pas. Quand elle pensait qu'elle s'était
reproché comme un crime, le jour précédent, de lui avoir donné
des marques de sensibilité que la seule compassion pouvait avoir
fait naître et que, par son aigreur, elle lui avait fait paraître des
380 sentiments de jalousie qui étaient des preuves certaines de passion, elle ne se reconnaissait plus elle-même. Quand elle pensait
encore que M. de Nemours voyait bien qu'elle connaissait son
amour, qu'il voyait bien aussi que malgré cette connaissance,
elle ne l'en traitait pas plus mal en présence même de son mari,
385 qu'au contraire elle ne l'avait jamais regardé si favorablement,
qu'elle était cause que M. de Clèves l'avait envoyé quérir et qu'ils
venaient de passer une après-dînée ensemble en particulier, elle
trouvait qu'elle était d'intelligence avec M. de Nemours, qu'elle
trompait le mari du monde qui méritait le moins d'être trompé,
390 et elle était honteuse de paraître si peu digne d'estime aux yeux
même de son amant. Mais, ce qu'elle pouvait moins supporter
que tout le reste, était le souvenir de l'état où elle avait passé la

---

1. *Conjuration d'Amboise* : conjuration protestante, dirigée par le prince
de Condé, qui cherchait à soustraire François II à l'influence des Guises.
Découverte, la conjuration fut réprimée avec une très grande rigueur. Le
vidame de Chartres fut envoyé à la Bastille et expira en 1562.
2. *Embarrassé* : impliqué.

nuit, et les cuisantes douleurs que lui avait causées la pensée que M. de Nemours aimait ailleurs et qu'elle était trompée.

395   Elle avait ignoré jusqu'alors les inquiétudes mortelles de la défiance et de la jalousie ; elle n'avait pensé qu'à se défendre d'aimer M. de Nemours et elle n'avait point encore commencé à craindre qu'il en aimât une autre. Quoique les soupçons que lui avait donnés cette lettre fussent effacés, ils ne laissèrent pas de
400 lui ouvrir les yeux sur le hasard d'être trompée et de lui donner des impressions de défiance et de jalousie qu'elle n'avait jamais eues. Elle fut étonnée de n'avoir point encore pensé combien il était peu vraisemblable qu'un homme comme M. de Nemours, qui avait toujours fait paraître tant de légèreté parmi les femmes,
405 fût capable d'un attachement sincère et durable. Elle trouva qu'il était presque impossible qu'elle pût être contente de sa passion. «Mais quand je le pourrais être, disait-elle, qu'en veux-je faire ? Veux-je la souffrir ? Veux-je y répondre ? Veux-je m'engager dans une galanterie ? Veux-je manquer à M. de Clèves ? Veux-je me
410 manquer à moi-même ? Et veux-je enfin m'exposer aux cruels repentirs et aux mortelles douleurs que donne l'amour ? Je suis vaincue et surmontée par une inclination qui m'entraîne malgré moi. Toutes mes résolutions sont inutiles ; je pensais hier tout ce que je pense aujourd'hui et je fais aujourd'hui tout le contraire
415 de ce que je résolus hier. Il faut m'arracher de la présence de M. de Nemours ; il faut m'en aller à la campagne, quelque bizarre que puisse paraître mon voyage ; et si M. de Clèves s'opiniâtre à l'empêcher ou à en vouloir savoir les raisons, peut-être lui ferai-je le mal, et à moi-même aussi, de les lui apprendre.» Elle demeura
420 dans cette résolution, et passa tout le soir chez elle, sans aller savoir de Mme la dauphine ce qui était arrivé de la fausse lettre du vidame.

    Quand M. de Clèves fut revenu, elle lui dit qu'elle voulait aller à la campagne, qu'elle se trouvait mal et qu'elle avait besoin
425 de prendre l'air. M. de Clèves, à qui elle paraissait d'une beauté qui ne lui persuadait pas que ses maux fussent considérables, se

moqua d'abord de la proposition de ce voyage, et lui répondit qu'elle oubliait que les noces des princesses et le tournoi s'allaient faire, et qu'elle n'avait pas trop de temps pour se préparer à y paraître avec la même magnificence que les autres femmes. Les raisons de son mari ne la firent pas changer de dessein ; elle le pria de trouver bon que pendant qu'il irait à Compiègne avec le roi, elle allât à Coulommiers, qui était une belle maison à une journée de Paris, qu'ils faisaient bâtir avec soin. M. de Clèves y consentit ; elle y alla dans le dessein de n'en pas revenir sitôt, et le roi partit pour Compiègne où il ne devait être que peu de jours.

M. de Nemours avait eu bien de la douleur de n'avoir point revu Mme de Clèves depuis cette après-dînée qu'il avait passée avec elle si agréablement et qui avait augmenté ses espérances. Il avait une impatience de la revoir qui ne lui donnait point de repos, de sorte que, quand le roi revint à Paris, il résolut d'aller chez sa sœur, la duchesse de Mercœur, qui était à la campagne assez près de Coulommiers. Il proposa au vidame d'y aller avec lui, qui accepta aisément cette proposition ; et M. de Nemours la fit dans l'espérance de voir Mme de Clèves et d'aller chez elle avec le vidame.

Mme de Mercœur les reçut avec beaucoup de joie et ne pensa qu'à les divertir et à leur donner tous les plaisirs de la campagne. Comme ils étaient à la chasse à courir le cerf, M. de Nemours s'égara dans la forêt. En s'enquérant du chemin qu'il devait tenir pour s'en retourner, il sut qu'il était proche de Coulommiers. À ce mot de Coulommiers, sans faire aucune réflexion et sans savoir quel était son dessein, il alla à toute bride du côté qu'on le lui montrait. Il arriva dans la forêt, et se laissa conduire au hasard par des routes faites avec soin, qu'il jugea bien qui conduisaient vers le château. Il trouva au bout de ces routes un pavillon, dont le dessous [1] était un grand salon accompagné de deux cabinets, dont l'un était ouvert sur un jardin de fleurs, qui n'était séparé

---

1. Dessous : rez-de-chaussée.

de la forêt que par des palissades ; et le second donnait sur une grande allée du parc. Il entra dans le pavillon, et il se serait arrêté à en regarder la beauté, sans qu'il vit[1] venir par cette allée du parc M. et Mme de Clèves, accompagnés d'un grand nombre de domestiques. Comme il ne s'était pas attendu à trouver M. de Clèves, qu'il avait laissé auprès du roi, son premier mouvement le porta à se cacher : il entra dans le cabinet qui donnait sur le jardin de fleurs, dans la pensée d'en ressortir par une porte qui était ouverte sur la forêt ; mais, voyant que Mme de Clèves et son mari s'étaient assis sous le pavillon, que leurs domestiques demeuraient dans le parc et qu'ils ne pouvaient venir à lui sans passer dans le lieu où étaient M. et Mme de Clèves, il ne put se refuser le plaisir de voir cette princesse, ni résister à la curiosité d'écouter la conversation avec un mari qui lui donnait plus de jalousie qu'aucun de ses rivaux.

Il entendit que M. de Clèves disait à sa femme :

« Mais pourquoi ne voulez-vous point revenir à Paris ? Qui vous peut retenir à la campagne ? Vous avez depuis quelque temps un goût pour la solitude qui m'étonne, et qui m'afflige parce qu'il nous sépare. Je vous trouve même plus triste que de coutume, et je crains que vous n'ayez quelque sujet d'affliction.

– Je n'ai rien de fâcheux dans l'esprit, répondit-elle avec un air embarrassé ; mais le tumulte de la cour est si grand et il y a toujours un si grand monde chez vous qu'il est impossible que le corps et l'esprit ne se lassent, et que l'on ne cherche du repos.

– Le repos, répliqua-t-il, n'est guère propre pour une personne de votre âge. Vous êtes, chez vous et dans la cour, d'une sorte à ne vous pas donner de lassitude et je craindrais plutôt que vous ne fussiez bien aise d'être séparée de moi.

– Vous me feriez une grande injustice d'avoir cette pensée, reprit-elle avec un embarras qui augmentait toujours ; mais je vous supplie de me laisser ici. Si vous y pouviez demeurer, j'en

---

1. Sans qu'il vit : s'il n'avait pas vu.

aurais beaucoup de joie, pourvu que vous y demeurassiez seul, et que vous voulussiez bien n'y avoir point ce nombre infini de gens qui ne vous quittent quasi jamais.

– Ah ! Madame ! s'écria M. de Clèves, votre air et vos paroles me font voir que vous avez des raisons pour souhaiter d'être seule, que je ne sais point, et je vous conjure de me les dire. »

Il la pressa longtemps de les lui apprendre sans pouvoir l'y obliger ; et, après qu'elle se fut défendue d'une manière qui augmentait toujours la curiosité de son mari, elle demeura dans un profond silence, les yeux baissés ; puis tout d'un coup prenant la parole et le regardant :

« Ne me contraignez point, lui dit-elle, à vous avouer une chose que je n'ai pas la force de vous avouer, quoique j'en aie eu plusieurs fois le dessein. Songez seulement que la prudence ne veut pas qu'une femme de mon âge, et maîtresse de sa conduite, demeure exposée au milieu de la cour.

– Que me faites-vous envisager, Madame, s'écria M. de Clèves. Je n'oserais vous le dire de peur de vous offenser. »

Mme de Clèves ne répondit point ; et son silence achevant de confirmer son mari dans ce qu'il avait pensé :

« Vous ne me dites rien, reprit-il, et c'est me dire que je ne me trompe pas.

– Eh bien, Monsieur, lui répondit-elle en se jetant à ses genoux, je vais vous faire un aveu que l'on n'a jamais fait à son mari ; mais l'innocence de ma conduite et de mes intentions m'en donne la force [1]. Il est vrai que j'ai des raisons de m'éloigner de la cour et que je veux éviter les périls où se trouvent quelquefois les personnes de mon âge. Je n'ai jamais donné nulle marque de faiblesse et je ne craindrais pas d'en laisser paraître si vous me laissiez

---

1. Cette scène d'aveu fut jugée invraisemblable par les critiques contemporains de Mme de Lafayette. D'autres y virent un comportement digne des héros cornéliens, qui s'arrachent à la médiocrité par une grandeur d'âme extraordinaire.

520 la liberté de me retirer de la cour ou si j'avais encore Mme de
Chartres pour aider à me conduire. Quelque dangereux que soit
le parti que je prends, je le prends avec joie pour me conserver
digne d'être à vous. Je vous demande mille pardons si j'ai des
sentiments qui vous déplaisent ; du moins je ne vous déplairai
525 jamais par mes actions. Songez que pour faire ce que je fais, il
faut avoir plus d'amitié et plus d'estime pour un mari que l'on
n'en a jamais eu ; conduisez-moi, ayez pitié de moi, et aimez-moi
encore, si vous pouvez. »

M. de Clèves était demeuré, pendant tout ce discours, la tête
530 appuyée sur ses mains, hors de lui-même, et il n'avait pas songé
à faire relever sa femme. Quand elle eut cessé de parler, qu'il jeta
les yeux sur elle, qu'il la vit à ses genoux le visage couvert de
larmes et d'une beauté si admirable, il pensa mourir de douleur,
et l'embrassant en la relevant :

535 « Ayez pitié de moi vous-même, Madame, lui dit-il, j'en suis
digne ; et pardonnez si, dans les premiers moments d'une affliction aussi violente qu'est la mienne, je ne réponds pas comme
je dois à un procédé comme le vôtre. Vous me paraissez plus
digne d'estime et d'admiration que tout ce qu'il y a jamais eu
540 de femmes au monde ; mais aussi je me trouve le plus malheureux homme qui ait jamais été. Vous m'avez donné de la passion
dès le premier moment que je vous ai vue ; vos rigueurs et votre
possession n'ont pu l'éteindre ; elle dure encore. Je n'ai jamais
pu vous donner de l'amour, et je vois que vous craignez d'en
545 avoir pour un autre. Et qui est-il, Madame, cet homme heureux
qui vous donne cette crainte ? Depuis quand vous plaît-il ? Qu'a-
t-il fait pour vous plaire ? Quel chemin a-t-il trouvé pour aller à
votre cœur ? Je m'étais consolé en quelque sorte de ne l'avoir pas
touché par la pensée qu'il était incapable de l'être. Cependant un
550 autre fait ce que je n'ai pu faire. J'ai tout ensemble la jalousie d'un
mari et celle d'un amant. Mais il est impossible d'avoir celle d'un
mari après un procédé comme le vôtre. Il est trop noble pour ne
me pas donner une sûreté entière ; il me console même comme

votre amant. La confiance et la sincérité que vous avez pour moi
555 sont d'un prix infini. Vous m'estimez assez pour croire que je
n'abuserai pas de cet aveu. Vous avez raison, Madame, je n'en
abuserai pas et je ne vous en aimerai pas moins. Vous me rendez
malheureux par la plus grande marque de fidélité que jamais une
femme ait donnée à son mari. Mais, Madame, achevez et appre-
560 nez-moi qui est celui que vous voulez éviter.

– Je vous supplie de ne me le point demander, répondit-elle ;
je suis résolue de ne vous le pas dire, et je crois que la prudence
ne veut pas que je vous le nomme.

– Ne craignez point, Madame, reprit M. de Clèves, je connais
565 trop le monde pour ignorer que la considération d'un mari n'empêche pas que l'on ne soit amoureux de sa femme. On doit haïr ceux
qui le sont et non pas s'en plaindre ; et encore une fois, Madame,
je vous conjure de m'apprendre ce que j'ai envie de savoir.

– Vous m'en presseriez inutilement, répliqua-t-elle ; j'ai de la
570 force pour taire ce que je crois ne pas devoir dire. L'aveu que je
vous ai fait n'a pas été par faiblesse ; et il faut plus de courage
pour avouer cette vérité que pour entreprendre de la cacher. »

M. de Nemours ne perdait pas une parole de cette conversation ; et ce que venait de dire Mme de Clèves ne lui donnait guère
575 moins de jalousie qu'à son mari. Il était si éperdument amoureux
d'elle qu'il croyait que tout le monde avait les mêmes sentiments.
Il était véritable aussi qu'il avait plusieurs rivaux ; mais il s'en
imaginait encore davantage, et son esprit s'égarait à chercher
celui dont Mme de Clèves voulait parler. Il avait cru bien des fois
580 qu'il ne lui était pas désagréable et il avait fait ce jugement sur
des choses qui lui parurent si légères dans ce moment qu'il ne
put s'imaginer qu'il eût donné une passion qui devait être bien
violente pour avoir recours à un remède si extraordinaire. Il était
si transporté qu'il ne savait quasi [1] ce qu'il voyait, et il ne pouvait

---

1. *Quasi* : quasiment.

585 pardonner à M. de Clèves de ne pas assez presser sa femme de
lui dire ce nom qu'elle lui cachait.

M. de Clèves faisait néanmoins tous ses efforts pour le savoir;
et, après qu'il l'en eut pressée inutilement :

«Il me semble, répondit-elle, que vous devez être content de
590 ma sincérité; ne m'en demandez pas davantage et ne me donnez
point lieu de me repentir de ce que je viens de faire. Contentez-
vous de l'assurance que je vous donne encore, qu'aucune de mes
actions n'a fait paraître mes sentiments et que l'on ne m'a jamais
rien dit dont j'aie pu m'offenser.

595 – Ah! Madame, reprit tout d'un coup M. de Clèves, je ne vous
saurais croire. Je me souviens de l'embarras où vous fûtes le jour
que votre portrait se perdit. Vous avez donné, Madame, vous avez
donné ce portrait qui m'était si cher et qui m'appartenait si légi-
timement. Vous n'avez pu cacher vos sentiments; vous aimez, on
600 le sait; votre vertu vous a jusqu'ici garantie du reste.

– Est-il possible, s'écria cette princesse, que vous puissiez penser qu'il y ait quelque déguisement dans un aveu comme le mien,
qu'aucune raison ne m'obligeait à vous faire? Fiez-vous à mes
paroles; c'est par un assez grand prix que j'achète la confiance
605 que je vous demande. Croyez, je vous en conjure, que je n'ai
point donné mon portrait. Il est vrai que je le vis prendre; mais je
ne voulus pas faire paraître que je le voyais, de peur de m'exposer
à me faire dire des choses que l'on ne m'a encore osé dire.

– Par où vous a-t-on donc fait voir qu'on vous aimait, reprit
610 M. de Clèves, et quelles marques de passion vous a-t-on données?

– Épargnez-moi la peine, répliqua-t-elle, de vous redire des
détails qui me font honte à moi-même de les avoir remarqués et
qui ne m'ont que trop persuadée de ma faiblesse.

– Vous avez raison, Madame, reprit-il, je suis injuste. Refusez-
615 moi toutes les fois que je vous demanderai de pareilles choses;
mais ne vous offensez pourtant pas si je vous les demande.»

Dans ce moment plusieurs de leurs gens, qui étaient demeurés
dans les allées, vinrent avertir M. de Clèves qu'un gentilhomme

venait le chercher de la part du roi, pour lui ordonner de se trou-
620 ver le soir à Paris. M. de Clèves fut contraint de s'en aller et il
ne put rien dire à sa femme, sinon qu'il la suppliait de venir le
lendemain, et qu'il la conjurait de croire que, quoiqu'il fût affligé,
il avait pour elle une tendresse et une estime dont elle devait être
satisfaite.

625 Lorsque ce prince fut parti, que Mme de Clèves demeura seule,
qu'elle regarda ce qu'elle venait de faire, elle en fut si épouvantée
qu'à peine put-elle s'imaginer que ce fût une vérité. Elle trouva
qu'elle s'était ôté elle-même le cœur et l'estime de son mari, et
qu'elle s'était creusé un abîme dont elle ne sortirait jamais. Elle
630 se demandait pourquoi elle avait fait une chose si hasardeuse, et
elle trouvait qu'elle s'y était engagée sans en avoir presque eu
le dessein. La singularité d'un pareil aveu, dont elle ne trouvait
point d'exemple, lui en faisait voir tout le péril.

Mais quand elle venait à penser que ce remède, quelque vio-
635 lent qu'il fût, était le seul qui la pouvait défendre contre M. de
Nemours, elle trouvait qu'elle ne devait point se repentir et
qu'elle n'avait point trop hasardé. Elle passa toute la nuit, pleine
d'incertitude, de trouble et de crainte, mais enfin le calme revint
dans son esprit. Elle trouva même de la douceur à avoir donné
640 ce témoignage de fidélité à un mari qui le méritait si bien, qui
avait tant d'estime et tant d'amitié pour elle, et qui venait de lui
en donner encore des marques par la manière dont il avait reçu
ce qu'elle lui avait avoué.

Cependant M. de Nemours était sorti du lieu où il avait
645 entendu une conversation qui le touchait si sensiblement et s'était
enfoncé dans la forêt. Ce qu'avait dit Mme de Clèves de son portrait lui avait redonné la vie en lui faisant connaître que c'était lui
qu'elle ne haïssait pas [1]. Il s'abandonna d'abord à cette joie ; mais
elle ne fut pas longue, quand il fit réflexion que la même chose

---

1. Cette litote rappelle celle de Chimène à l'intention de Rodrigue dans *Le
Cid* (1636) de Corneille : «Va, je ne te hais point» (acte III, scène IV).

650 qui lui venait d'apprendre qu'il avait touché le cœur de Mme de
Clèves le devait persuader aussi qu'il n'en recevrait jamais nulle
marque, et qu'il était impossible d'engager une personne [1] qui
avait recours à un remède si extraordinaire. Il sentit pourtant un
plaisir sensible de l'avoir réduite à cette extrémité. Il trouva de la
655 gloire à s'être fait aimer d'une femme si différente de toutes celles
de son sexe. Enfin, il se trouva cent fois heureux et malheureux
tout ensemble. La nuit le surprit dans la forêt, et il eut beaucoup de peine à retrouver le chemin de chez Mme de Mercœur.
Il y arriva à la pointe du jour. Il fut assez embarrassé de rendre
660 compte de ce qui l'avait retenu ; il s'en démêla le mieux qu'il lui
fut possible, et revint ce jour même à Paris avec le vidame.

Ce prince était si rempli de sa passion, et si surpris de ce qu'il
avait entendu, qu'il tomba dans une imprudence assez ordinaire,
qui est de parler en termes généraux de ses sentiments particuliers
665 et de conter ses propres aventures sous des noms empruntés. En
revenant, il tourna la conversation sur l'amour, il exagéra le plaisir d'être amoureux d'une personne digne d'être aimée. Il parla
des effets bizarres de cette passion, et enfin, ne pouvant renfermer
en lui-même l'étonnement que lui donnait l'action de Mme de
670 Clèves, il la conta au vidame, sans lui nommer la personne et
sans lui dire qu'il y eût aucune part ; mais il la conta avec tant de
chaleur et avec tant d'admiration que le vidame soupçonna aisément que cette histoire regardait ce prince. Il le pressa extrêmement de le lui avouer. Il lui dit qu'il connaissait depuis longtemps
675 qu'il avait quelque passion violente, et qu'il y avait de l'injustice
de se défier d'un homme qui lui avait confié le secret de sa vie.
M. de Nemours était trop amoureux pour avouer son amour. Il
l'avait toujours caché au vidame, quoique ce fût l'homme de la
cour qu'il aimât le mieux. Il lui répondit qu'un de ses amis lui
680 avait conté cette aventure et lui avait fait promettre de n'en point
parler, et qu'il le conjurait aussi de garder ce secret. Le vidame

---

1. *Engager une personne* : l'entraîner dans une aventure amoureuse.

l'assura qu'il n'en parlerait point ; néanmoins M. de Nemours se repentit de lui en avoir tant appris.

Cependant, M. de Clèves était allé trouver le roi, le cœur péné-685 tré d'une douleur mortelle. Jamais mari n'avait eu une passion si violente pour sa femme et ne l'avait tant estimée. Ce qu'il venait d'apprendre ne lui ôtait pas l'estime ; mais elle lui en donnait d'une espèce différente de celle qu'il avait eue jusqu'alors. Ce qui l'occupait le plus était l'envie de deviner celui qui avait su lui 690 plaire. M. de Nemours lui vint d'abord dans l'esprit, comme ce qu'il y avait de plus aimable à la cour ; et le chevalier de Guise, et le maréchal de Saint-André, comme deux hommes qui avaient pensé à lui plaire et qui lui rendaient encore beaucoup de soins ; de sorte qu'il s'arrêta à croire qu'il fallait que ce fût l'un des trois. 695 Il arriva au Louvre, et le roi le mena dans son cabinet pour lui dire qu'il l'avait choisi pour conduire Madame en Espagne ; qu'il avait cru que personne ne s'acquitterait mieux que lui de cette commission, et que personne aussi ne ferait tant d'honneur à la France que Mme de Clèves. M. de Clèves reçut l'honneur de ce choix 700 comme il le devait, et le regarda même comme une chose qui éloignerait sa femme de la cour sans qu'il parût de changement dans sa conduite. Néanmoins le temps de ce départ était encore trop éloigné pour être un remède à l'embarras où il se trouvait. Il écrivit à l'heure même à Mme de Clèves, pour lui apprendre 705 ce que le roi venait de lui dire, et lui manda encore qu'il voulait absolument qu'elle revînt à Paris. Elle y revint comme il l'ordonnait, et lorsqu'ils se virent, ils se trouvèrent tous deux dans une tristesse extraordinaire.

M. de Clèves lui parla comme le plus honnête homme du 710 monde et le plus digne de ce qu'elle avait fait.

« Je n'ai nulle inquiétude de votre conduite, lui dit-il ; vous avez plus de force et plus de vertu que vous ne pensez. Ce n'est point aussi la crainte de l'avenir qui m'afflige. Je ne suis affligé que de vous voir pour un autre des sentiments que je n'ai pu 715 vous donner.

– Je ne sais que vous répondre, lui dit-elle; je meurs de honte en vous en parlant. Épargnez-moi, je vous en conjure, de si cruelles conversations; réglez ma conduite; faites que je ne voie personne. C'est tout ce que je vous demande. Mais trouvez bon que je ne vous parle plus d'une chose qui me fait paraître si peu digne de vous et que je trouve si indigne de moi.

– Vous avez raison, Madame, répliqua-t-il; j'abuse de votre douceur et de votre confiance. Mais aussi ayez quelque compassion de l'état où vous m'avez mis, et songez que, quoi que vous m'ayez dit, vous me cachez un nom qui me donne une curiosité avec laquelle je ne saurais vivre. Je ne vous demande pourtant pas de la satisfaire; mais je ne puis m'empêcher de vous dire que je crois que celui que je dois envier est le maréchal de Saint-André, le duc de Nemours ou le chevalier de Guise

– Je ne vous répondrai rien, lui dit-elle en rougissant, et je ne vous donnerai aucun lieu par mes réponses de diminuer ni de fortifier vos soupçons; mais si vous essayez de les éclaircir en m'observant, vous me donnerez un embarras qui paraîtra aux yeux de tout le monde. Au nom de Dieu, continua-t-elle, trouvez bon que, sur le prétexte de quelque maladie, je ne voie personne.

– Non, Madame, répliqua-t-il, on démêlerait bientôt que ce serait une chose supposée; et, de plus, je ne me veux fier qu'à vous-même : c'est le chemin que mon cœur me conseille de prendre, et la raison me conseille aussi. De l'humeur dont vous êtes, en vous laissant votre liberté, je vous donne des bornes plus étroites que je ne pourrais vous en prescrire.»

M. de Clèves ne se trompait pas : la confiance qu'il témoignait à sa femme la fortifiait davantage contre M. de Nemours, et lui faisait prendre des résolutions plus austères qu'aucune contrainte n'aurait pu faire. Elle alla donc au Louvre et chez la reine dauphine à son ordinaire; mais elle évitait la présence et les yeux de M. de Nemours avec tant de soin qu'elle lui ôta quasi toute la joie qu'il avait de se croire aimé d'elle. Il ne voyait rien dans ses actions qui ne lui persuadât le contraire. Il ne

750 savait quasi si ce qu'il avait entendu n'était point un songe, tant
il y trouvait peu de vraisemblance. La seule chose qui l'assurait
qu'il ne s'était pas trompé était l'extrême tristesse de Mme de
Clèves, quelque effort qu'elle fît pour la cacher : peut-être que
des regards et des paroles obligeantes n'eussent pas tant aug-
755 menté l'amour de M. de Nemours que faisait cette conduite
austère.

Un soir que M. et Mme de Clèves étaient chez la reine, quelqu'un dit que le bruit courait que le roi mènerait encore un grand
seigneur de la cour pour aller conduire Madame en Espagne.
760 M. de Clèves avait les yeux sur sa femme dans le temps que l'on
ajouta que ce serait peut-être le chevalier de Guise ou le maréchal de Saint-André. Il remarqua qu'elle n'avait point été émue
de ces deux noms, ni de la proposition qu'ils fissent ce voyage
avec elle. Cela lui fit croire que pas un des deux n'était celui dont
765 elle craignait la présence. Et, voulant s'éclaircir de ses soupçons,
il entra dans le cabinet de la reine, où était le roi. Après y avoir
demeuré quelque temps, il revint auprès de sa femme, et lui dit
tout bas qu'il venait d'apprendre que ce serait M. de Nemours
qui irait avec eux en Espagne.

770 Le nom de M. de Nemours et la pensée d'être exposée à le
voir tous les jours pendant un long voyage, en présence de son
mari, donna un tel trouble à Mme de Clèves qu'elle ne le put
cacher ; et, voulant y donner d'autres raisons :

« C'est un choix bien désagréable pour vous, répondit-elle,
775 que celui de ce prince. Il partagera tous les honneurs et il me
semble que vous devriez essayer de faire choisir quelque autre.

– Ce n'est pas la gloire, Madame, reprit M. de Clèves, qui
vous fait appréhender que M. de Nemours ne vienne avec moi.
Le chagrin que vous en avez vient d'une autre cause. Ce chagrin
780 m'apprend ce que j'aurais appris d'une autre femme, par la joie
qu'elle en aurait eue. Mais ne craignez point ; ce que je viens de
vous dire n'est pas véritable, et je l'ai inventé pour m'assurer
d'une chose que je ne croyais déjà que trop. »

Il sortit après ces paroles, ne voulant pas augmenter par sa
présence l'extrême embarras où il voyait sa femme.

M. de Nemours entra dans cet instant et remarqua d'abord
l'état où était Mme de Clèves. Il s'approcha d'elle, et lui dit tout
bas qu'il n'osait par respect lui demander ce qui la rendait plus
rêveuse [1] que de coutume. La voix de M. de Nemours la fit revenir [2]; et, le regardant, sans avoir entendu ce qu'il venait de lui
dire, pleine de ses propres pensées et de la crainte que son mari
ne le vît auprès d'elle :

«Au nom de Dieu, lui dit-elle, laissez-moi en repos !

– Hélas ! Madame, répondit-il, je ne vous y laisse que trop ;
de quoi pouvez-vous vous plaindre ? Je n'ose vous parler, je n'ose
même vous regarder ; je ne vous approche qu'en tremblant. Par
où me suis-je attiré ce que vous venez de me dire, et pourquoi me
faites-vous paraître que j'ai quelque part au chagrin où je vous
vois ? »

Mme de Clèves fut bien fâchée d'avoir donné lieu à M. de
Nemours de s'expliquer plus clairement qu'il n'avait fait en toute
sa vie. Elle le quitta, sans lui répondre, et s'en revint chez elle,
l'esprit plus agité qu'elle ne l'avait jamais eu. Son mari s'aperçut
aisément de l'augmentation de son embarras. Il vit qu'elle craignait qu'il ne lui parlât de ce qui s'était passé. Il la suivit dans un
cabinet où elle était entrée.

«Ne m'évitez point, Madame, lui dit-il, je ne vous dirai rien
qui puisse vous déplaire. Je vous demande pardon de la surprise
que je vous ai faite tantôt. J'en suis assez puni par ce que j'ai
appris. M. de Nemours était de tous les hommes celui que je
craignais le plus. Je vois le péril où vous êtes ; ayez du pouvoir
sur vous pour l'amour de vous-même et, s'il est possible, pour
l'amour de moi. Je ne vous le demande point comme un mari,
mais comme un homme dont vous faites tout le bonheur, et qui a

---

1. *Rêveuse* : concentrée.
2. *La fit revenir* : la fit se ressaisir.

pour vous une passion plus tendre et plus violente que celui que votre cœur lui préfère.»

M. de Clèves s'attendrit en prononçant ces dernières paroles et eut peine à les achever. Sa femme en fut pénétrée et, fondant en larmes, elle l'embrassa avec une tendresse et une douleur qui
820 le mirent dans un état peu différent du sien. Ils demeurèrent quelque temps sans se rien dire et se séparèrent sans avoir la force de se parler.

Les préparatifs pour le mariage de Madame étaient achevés. Le duc d'Albe arriva pour l'épouser[1]. Il fut reçu avec toute la
825 magnificence et toutes les cérémonies qui se pouvaient faire dans une pareille occasion. Le roi envoya au-devant de lui le prince de Condé, les cardinaux de Lorraine et de Guise, les ducs de Lorraine, de Ferrare, d'Aumale, de Bouillon, de Guise et de Nemours. Ils avaient plusieurs gentilshommes, et grand nombre de pages vêtus
830 de leurs livrées. Le roi attendit lui-même le duc d'Albe à la première porte du Louvre, avec les deux cents gentilshommes servants[2] et le connétable à leur tête. Lorsque ce duc fut proche du roi, il voulut lui embrasser les genoux; mais le roi l'en empêcha et le fit marcher à son côté jusque chez la reine et chez Madame,
835 à qui le duc d'Albe apporta un présent magnifique de la part de son maître. Il alla ensuite chez Mme Marguerite, sœur du roi, lui faire les compliments de M. de Savoie et l'assurer qu'il arriverait dans peu de jours. L'on fit de grandes assemblées au Louvre pour faire voir au duc d'Albe, et au prince d'Orange, qui l'avait accom-
840 pagné, les beautés de la cour.

Mme de Clèves n'osa se dispenser de s'y trouver, quelque envie qu'elle en eût, par la crainte de déplaire à son mari, qui lui commanda absolument d'y aller. Ce qui l'y déterminait encore davantage était l'absence de M. de Nemours. Il était allé au-

---

1. Le duc d'Albe représente Philippe II d'Espagne.
2. Ce sont les grands du royaume qui ont l'honneur de servir le roi lors des festins officiels.

845 devant de M. de Savoie et, après que ce prince fut arrivé, il fut obligé de se tenir presque toujours auprès de lui pour lui aider à[1] toutes les choses qui regardaient les cérémonies de ses noces. Cela fit que Mme de Clèves ne rencontra pas ce prince aussi souvent qu'elle avait accoutumé; et elle s'en trouvait dans quelque
850 sorte de repos.

Le vidame de Chartres n'avait pas oublié la conversation qu'il avait eue avec M. de Nemours. Il lui était demeuré dans l'esprit que l'aventure que ce prince lui avait contée était la sienne propre, et il l'observait avec tant de soin que peut-être aurait-il démêlé la vérité,
855 sans que l'arrivée du duc d'Albe et celle de M. de Savoie firent un changement et une occupation dans la cour qui l'empêcha de voir ce qui aurait pu l'éclairer. L'envie de s'éclaircir, ou plutôt la disposition naturelle que l'on a de conter tout ce que l'on sait à ce que l'on aime, fit qu'il redit à Mme de Martigues l'action extraordinaire de
860 cette personne qui avait avoué à son mari la passion qu'elle avait pour un autre. Il l'assura que M. de Nemours était celui qui avait inspiré cette violente passion, et il la conjura de lui aider à observer ce prince. Mme de Martigues fut bien aise d'apprendre ce que lui dit le vidame; et la curiosité qu'elle avait toujours vue à Mme la
865 dauphine pour ce qui regardait M. de Nemours lui donnait encore plus d'envie de pénétrer[2] cette aventure.

Peu de jours avant celui que l'on avait choisi pour la cérémonie du mariage, la reine dauphine donnait à souper au roi son beau-père et à la duchesse de Valentinois. Mme de Clèves,
870 qui était occupée à s'habiller, alla au Louvre plus tard que de coutume. En y allant, elle trouva un gentilhomme qui la venait quérir de la part de Mme la dauphine. Comme elle entrait dans la chambre, cette princesse lui cria, de dessus son lit, où elle était, qu'elle l'attendait avec une grande impatience.

---

1. *Lui aider à* : le verbe peut encore se construire avec un complément indirect au XVIIe siècle.
2. *Pénétrer* : percer.

875 «Je crois, Madame, lui répondit-elle, que je ne dois pas vous
remercier de cette impatience et qu'elle est sans doute causée par
quelque autre chose que par l'envie de me voir.

– Vous avez raison, répliqua la reine dauphine ; mais néanmoins vous devez m'en être obligée, car je veux vous appren-
880 dre une aventure que je suis assurée que vous serez bien aise de
savoir.»

Mme de Clèves se mit à genoux devant son lit, et par bonheur
pour elle, elle n'avait pas le jour au visage.

«Vous savez, lui dit cette reine, l'envie que nous avions de devi-
885 ner ce qui causait le changement qui paraît au duc de Nemours.
Je crois le savoir, et c'est une chose qui vous surprendra. Il est
éperdument amoureux et fort aimé d'une des plus belles personnes de la cour.»

Ces paroles, que Mme de Clèves ne pouvait s'attribuer, puis-
890 qu'elle ne croyait pas que personne sût qu'elle aimait ce prince,
lui causèrent une douleur qu'il est aisé de s'imaginer.

«Je ne vois rien en cela, répondit-elle, qui doive surprendre
d'un homme de l'âge de M. de Nemours et fait comme il est.

– Ce n'est pas aussi, reprit Mme la dauphine, ce qui vous doit
895 étonner ; mais c'est de savoir que cette femme qui aime M. de
Nemours ne lui en a jamais donné aucune marque, et que la peur
qu'elle a eue de n'être pas toujours maîtresse de sa passion a fait
qu'elle l'a avouée à son mari, afin qu'il l'ôtât de la cour. Et c'est
M. de Nemours lui-même qui a conté ce que je vous dis.»

900 Si Mme de Clèves avait eu d'abord de la douleur par la pensée
qu'elle n'avait aucune part à cette aventure, les dernières paroles
de Mme la dauphine lui donnèrent du désespoir, par la certitude
de n'y en avoir que trop. Elle ne put répondre, et demeura la
tête penchée sur le lit pendant que la reine continuait de parler,
905 si occupée de ce qu'elle disait qu'elle ne prenait pas garde à cet
embarras. Lorsque Mme de Clèves fut un peu remise :

«Cette histoire ne me paraît guère vraisemblable, Madame,
répondit-elle, et je voudrais bien savoir qui vous l'a contée.

– C'est Mme de Martigues, répliqua Mme la dauphine, qui l'a
apprise du vidame de Chartres. Vous savez qu'il en est amoureux ;
il la lui a confiée comme un secret, et il la sait du duc de Nemours
lui-même. Il est vrai que le duc de Nemours ne lui a pas dit le
nom de la dame et ne lui a pas même avoué que ce fût lui qui en
fût aimé ; mais le vidame de Chartres n'en doute point. »

Comme la reine dauphine achevait ces paroles, quelqu'un
s'approcha du lit. Mme de Clèves était tournée d'une sorte qui
l'empêchait de voir qui c'était ; mais elle n'en douta pas, lorsque
Mme la dauphine se récria avec un air de gaieté et de surprise.

« Le voilà lui-même, et je veux lui demander ce qui en est. »

Mme de Clèves connut bien que c'était le duc de Nemours,
comme ce l'était en effet. Sans se tourner de son côté, elle s'avança
avec précipitation vers Mme la dauphine, et lui dit tout bas qu'il
fallait bien se garder de lui parler de cette aventure ; qu'il l'avait
confiée au vidame de Chartres ; et que ce serait une chose capable
de les brouiller. Mme la dauphine lui répondit en riant qu'elle
était trop prudente, et se retourna vers M. de Nemours. Il était
paré pour l'assemblée du soir et, prenant la parole avec cette
grâce qui lui était si naturelle :

« Je crois, Madame, lui dit-il, que je puis penser sans témérité
que vous parliez de moi quand je suis entré, que vous aviez dessein de me demander quelque chose, et que Mme de Clèves s'y
oppose.

– Il est vrai, répondit Mme la dauphine ; mais je n'aurai pas
pour elle la complaisance que j'ai accoutumé d'avoir. Je veux
savoir de vous si une histoire que l'on m'a contée est véritable, et
si vous n'êtes pas celui qui êtes amoureux et aimé d'une femme
de la cour, qui vous cache sa passion avec soin et qui l'a avouée
à son mari. »

Le trouble et l'embarras de Mme de Clèves étaient au-delà
de tout ce que l'on peut s'imaginer, et, si la mort se fût présen-
tée pour la tirer de cet état, elle l'aurait trouvée agréable. Mais
M. de Nemours était encore plus embarrassé, s'il est possible.

Le discours de Mme la dauphine, dont il avait eu lieu de croire qu'il n'était pas haï, en présence de Mme de Clèves, qui était la personne de la cour en qui elle avait le plus de confiance, et qui en avait aussi le plus en elle, lui donnait une si grande confusion de pensées bizarres qu'il lui fut impossible d'être maître de son visage. L'embarras où il voyait Mme de Clèves par sa faute, et la pensée du juste sujet qu'il lui donnait de le haïr, lui causa un saisissement qui ne lui permit pas de répondre. Mme la dauphine, voyant à quel point il était interdit :

«Regardez-le, regardez-le, dit-elle à Mme de Clèves, et jugez si cette aventure n'est pas la sienne.

Cependant M. de Nemours, revenant de son premier trouble, et voyant l'importance de sortir d'un pas si dangereux, se rendit maître tout d'un coup de son esprit et de son visage :

– J'avoue, Madame, dit-il, que l'on ne peut être plus surpris et plus affligé que je le suis de l'infidélité que m'a faite le vidame de Chartres, en racontant l'aventure d'un de mes amis que je lui avais confiée. Je pourrais m'en venger, continua-t-il en souriant avec un air tranquille, qui ôta quasi à Mme la dauphine les soupçons qu'elle venait d'avoir. Il m'a confié des choses qui ne sont pas d'une médiocre importance. Mais je ne sais, Madame, poursuivit-il, pourquoi vous me faites l'honneur de me mêler à cette aventure. Le vidame ne peut pas dire qu'elle me regarde, puisque je lui ai dit le contraire. La qualité d'un homme amoureux me peut convenir ; mais, pour celle d'un homme aimé, je ne crois pas, Madame, que vous puissiez me la donner.»

Ce prince fut bien aise de dire quelque chose à Mme la dauphine qui eût du rapport à ce qu'il lui avait fait paraître en d'autres temps, afin de lui détourner l'esprit des pensées qu'elle avait pu avoir. Elle crut bien aussi entendre ce qu'il disait ; mais sans y répondre, elle continua à lui faire la guerre de son embarras.

«J'ai été troublé, Madame, lui répondit-il, pour l'intérêt de mon ami et par les justes reproches qu'il me pourrait faire d'avoir redit une chose qui lui est plus chère que la vie. Il ne me l'a néanmoins confiée qu'à demi, et il ne m'a pas nommé la personne qu'il aime. Je sais seulement qu'il est l'homme du monde le plus amoureux et le plus à plaindre.

980 – Le trouvez-vous si à plaindre, répliqua Mme la dauphine, puisqu'il est aimé ?

– Croyez-vous qu'il le soit, Madame, reprit-il, et qu'une personne qui aurait une véritable passion pût la découvrir à son mari ? Cette personne ne connaît pas sans doute l'amour, et elle 985 a pris pour lui une légère reconnaissance de l'attachement que l'on a pour elle. Mon ami ne se peut flatter d'aucune espérance ; mais, tout malheureux qu'il est, il se trouve heureux d'avoir du moins donné la peur de l'aimer, et il ne changerait pas son état contre celui du plus heureux amant du monde.

990 – Votre ami a une passion bien aisée à satisfaire, dit Mme la dauphine, et je commence à croire que ce n'est pas de vous dont vous parlez. Il ne s'en faut guère, continua-t-elle, que je ne sois de l'avis de Mme de Clèves, qui soutient que cette aventure ne peut être véritable.

995 – Je ne crois pas en effet qu'elle le puisse être, reprit Mme de Clèves qui n'avait point encore parlé ; et quand il serait possible qu'elle le fût, par où l'aurait-on pu savoir ? Il n'y a pas d'apparence qu'une femme capable d'une chose si extraordinaire eût la faiblesse de la raconter ; apparemment son mari ne l'aurait pas 1000 racontée non plus, ou ce serait un mari bien indigne du procédé que l'on aurait eu avec lui. »

M. de Nemours, qui vit les soupçons de Mme de Clèves sur son mari, fut bien aise de les lui confirmer. Il savait que c'était le plus redoutable rival qu'il eût à détruire.

1005 « La jalousie, répondit-il, et la curiosité d'en savoir peut-être davantage que l'on ne lui en a dit, peuvent faire faire bien des imprudences à un mari. »

Mme de Clèves était à la dernière épreuve de sa force et de son courage et, ne pouvant plus soutenir la conversation, elle 1010 allait dire qu'elle se trouvait mal, lorsque, par bonheur pour elle, la duchesse de Valentinois entra, qui dit à Mme la dauphine que le roi allait arriver. Cette reine passa dans son cabinet pour s'habiller. M. de Nemours s'approcha de Mme de Clèves, comme elle la voulait suivre.

1015 « Je donnerais ma vie, Madame, lui dit-il, pour vous parler un moment. Mais de tout ce que j'aurais d'important à vous dire, rien ne me le paraît davantage que de vous supplier de croire que si j'ai dit quelque chose où Mme la dauphine puisse prendre part, je l'ai fait par des raisons qui ne la regardent pas. »

1020 Mme de Clèves ne fit pas semblant d'entendre M. de Nemours ; elle le quitta sans le regarder, et se mit à suivre le roi qui venait d'entrer. Comme il y avait beaucoup de monde, elle s'embarrassa dans sa robe et fit un faux pas : elle se servit de ce prétexte pour sortir d'un lieu où elle n'avait pas la force de demeurer et, fei-
1025 gnant de ne se pouvoir soutenir, elle s'en alla chez elle.

M. de Clèves vint au Louvre et fut étonné de n'y pas trouver sa femme. On lui dit l'accident qui lui était arrivé. Il s'en retourna à l'heure même pour apprendre de ses nouvelles ; il la trouva au lit et sut que son mal n'était pas considérable. Quand il eut été
1030 quelque temps auprès d'elle, il s'aperçut qu'elle était dans une tristesse si excessive qu'il en fut surpris.

« Qu'avez-vous, Madame ? lui dit-il. Il me paraît que vous avez quelque autre douleur que celle dont vous vous plaignez.

– J'ai la plus sensible affliction que je pouvais jamais avoir,
1035 répondit-elle. Quel usage avez-vous fait de la confiance extraordinaire ou, pour mieux dire, folle que j'ai eue en vous ? Ne méritais-je pas le secret, et, quand je ne l'aurais pas mérité, votre propre intérêt ne vous y engageait-il pas ? Fallait-il que la curiosité de savoir un nom que je ne dois pas vous dire vous obligeât à vous
1040 confier à quelqu'un pour tâcher de le découvrir ? Ce ne peut être que cette seule curiosité qui vous ait fait faire une si cruelle imprudence. Les suites en sont aussi fâcheuses qu'elles pouvaient l'être. Cette aventure est sue, et on me la vient de conter, ne sachant pas que j'y eusse le principal intérêt.

1045   – Que me dites-vous, Madame ? lui répondit-il. Vous m'accu-
sez d'avoir conté ce qui s'est passé entre vous et moi, et vous
m'apprenez que la chose est sue ? Je ne me justifie pas de l'avoir
redite : vous ne le sauriez croire ; et il faut sans doute que vous
ayez pris pour vous ce que l'on vous a dit de quelque autre.

1050   – Ah ! Monsieur, reprit-elle, il n'y a pas dans le monde une
autre aventure pareille à la mienne ; il n'y a point une autre
femme capable de la même chose. Le hasard ne peut l'avoir fait
inventer ; on ne l'a jamais imaginée, et cette pensée n'est jamais
tombée dans un autre esprit que le mien. Mme la dauphine vient

1055 de me conter toute cette aventure ; elle l'a sue par le vidame de
Chartres, qui la sait de M. de Nemours.

     – M. de Nemours ! s'écria M. de Clèves avec une action qui
marquait du transport et du désespoir. Quoi ! M. de Nemours sait
que vous l'aimez, et que je le sais ?

1060   – Vous voulez toujours choisir M. de Nemours plutôt qu'un
autre, répliqua-t-elle : je vous ai dit que je ne vous répondrai
jamais sur vos soupçons. J'ignore si M. de Nemours sait la part
que j'ai dans cette aventure et celle que vous lui avez donnée ;
mais il l'a contée au vidame de Chartres et lui a dit qu'il la savait

1065 d'un de ses amis, qui ne lui avait pas nommé la personne. Il faut
que cet ami de M. de Nemours soit des vôtres et que vous vous
soyez fié à lui pour tâcher de vous éclaircir.

     – A-t-on un ami au monde à qui on voulût faire une telle confi-
dence, reprit M. de Clèves, et voudrait-on éclaircir ses soupçons

1070 au prix d'apprendre à quelqu'un ce que l'on souhaiterait de se
cacher à soi-même ? Songez plutôt, Madame, à qui vous avez
parlé. Il est plus vraisemblable que ce soit par vous que par moi
que ce secret soit échappé. Vous n'avez pu soutenir toute seule
l'embarras où vous vous êtes trouvée et vous avez cherché le

1075 soulagement de vous plaindre avec quelque confidente qui vous
a trahie.

     – N'achevez point de m'accabler, s'écria-t-elle, et n'ayez point
la dureté de m'accuser d'une faute que vous avez faite. Pouvez-

vous m'en soupçonner, et puisque j'ai été capable de vous parler, suis-je capable de parler à quelque autre ? »

L'aveu que Mme de Clèves avait fait à son mari était une si grande marque de sa sincérité et elle niait si fortement de s'être confiée à personne que M. de Clèves ne savait que penser. D'un autre côté, il était assuré de n'avoir rien redit ; c'était une chose que l'on ne pouvait avoir devinée, elle était sue ; ainsi il fallait que ce fût par l'un des deux ; mais ce qui lui causait une douleur violente était de savoir que ce secret était entre les mains de quelqu'un et qu'apparemment il serait bientôt divulgué.

Mme de Clèves pensait à peu près les mêmes choses ; elle trouvait également impossible que son mari eût parlé et qu'il n'eût pas parlé. Ce qu'avait dit M. de Nemours, que la curiosité pouvait faire faire des imprudences à un mari, lui paraissait se rapporter si juste à l'état de M. de Clèves qu'elle ne pouvait croire que ce fût une chose que le hasard eût fait dire ; et cette vraisemblance la déterminait à croire que M. de Clèves avait abusé de la confiance qu'elle avait en lui. Ils étaient si occupés l'un et l'autre de leurs pensées qu'ils furent longtemps sans parler, et ils ne sortirent de ce silence que pour redire les mêmes choses qu'ils avaient déjà dites plusieurs fois, et demeurèrent le cœur et l'esprit plus éloignés et plus altérés qu'ils ne les avaient encore eus.

Il est aisé de s'imaginer en quel état ils passèrent la nuit. M. de Clèves avait épuisé toute sa constance à soutenir le malheur de voir une femme qu'il adorait touchée de passion pour un autre. Il ne lui restait plus de courage ; il croyait même n'en devoir pas trouver dans une chose où sa gloire et son honneur étaient si vivement blessés. Il ne savait plus que penser de sa femme. Il ne voyait plus quelle conduite il lui devait faire prendre, ni comment il se devait conduire lui-même ; et il ne trouvait de tous côtés que des précipices et des abîmes. Enfin, après une agitation et une incertitude très longues, voyant qu'il devait bientôt s'en aller en Espagne, il prit le parti de ne rien faire qui pût augmenter les soupçons ou la connaissance de son malheureux état. Il alla

trouver Mme de Clèves, et lui dit qu'il ne s'agissait pas de démêler entre eux qui avait manqué au secret ; mais qu'il s'agissait de
1115 faire voir que l'histoire que l'on avait contée était une fable où
elle n'avait aucune part ; qu'il dépendait d'elle de le persuader à
M. de Nemours et aux autres ; qu'elle n'avait qu'à agir avec lui,
avec la sévérité et la froideur qu'elle devait avoir pour un homme
qui lui témoignait de l'amour ; que, par ce procédé, elle lui ôterait
1120 aisément l'opinion qu'elle eût de l'inclination pour lui ; qu'ainsi
il ne fallait point s'affliger de tout ce qu'il aurait pu penser, parce
que si dans la suite elle ne faisait paraître aucune faiblesse, toutes ses pensées se détruiraient aisément, et que surtout il fallait
qu'elle allât au Louvre et aux assemblées comme à l'ordinaire.

1125   Après ces paroles, M. de Clèves quitta sa femme sans attendre sa réponse. Elle trouva beaucoup de raison dans tout ce
qu'il lui dit, et la colère où elle était contre M. de Nemours lui fit
croire qu'elle trouverait aussi beaucoup de facilité à l'exécuter ;
mais il lui parut difficile de se trouver à toutes les cérémonies
1130 du mariage et d'y paraître avec un visage tranquille et un esprit
libre. Néanmoins, comme elle devait porter la robe de Mme la
dauphine et que c'était une chose où elle avait été préférée à
plusieurs princesses, il n'y avait pas moyen d'y renoncer sans
faire beaucoup de bruit et sans en faire chercher des raisons.
1135 Elle se résolut donc de faire un effort sur elle-même ; mais elle
prit le reste du jour pour s'y préparer, et pour s'abandonner à
tous les sentiments dont elle était agitée. Elle s'enferma seule
dans son cabinet. De tous ses maux, celui qui se présentait à
elle avec le plus de violence était d'avoir sujet de se plaindre de
1140 M. de Nemours, et de ne trouver aucun moyen de le justifier. Elle
ne pouvait douter qu'il n'eût conté cette aventure au vidame de
Chartres ; il l'avait avoué, et elle ne pouvait douter aussi, par la
manière dont il avait parlé, qu'il ne sût que l'aventure la regardait. Comment excuser une si grande imprudence, et qu'était
1145 devenue l'extrême discrétion de ce prince, dont elle avait été si
touchée ?

« Il a été discret, disait-elle, tant qu'il a cru être malheureux ; mais une pensée d'un bonheur, même incertain, a fini sa discrétion. Il n'a pu s'imaginer qu'il était aimé sans vouloir qu'on le sût. Il a dit tout ce qu'il pouvait dire ; je n'ai pas avoué que c'était lui que j'aimais, il l'a soupçonné, et il a laissé voir ses soupçons. S'il eût eu des certitudes, il en aurait usé de la même sorte. J'ai eu tort de croire qu'il y eût un homme capable de cacher ce qui flatte sa gloire. C'est pourtant pour cet homme, que j'ai cru si différent du reste des hommes, que je me trouve comme les autres femmes, étant si éloignée de leur ressembler. J'ai perdu le cœur et l'estime d'un mari qui devait faire ma félicité. Je serai bientôt regardée de tout le monde comme une personne qui a une folle et violente passion. Celui pour qui je l'ai ne l'ignore plus ; et c'est pour éviter ces malheurs que j'ai hasardé tout mon repos et même ma vie. »

Ces tristes réflexions étaient suivies d'un torrent de larmes ; mais quelque douleur dont elle se trouvât accablée, elle sentait bien qu'elle aurait eu la force de les supporter si elle avait été satisfaite de M. de Nemours.

Ce prince n'était pas dans un état plus tranquille. L'imprudence, qu'il avait faite d'avoir parlé au vidame de Chartres et les cruelles suites de cette imprudence lui donnaient un déplaisir mortel. Il ne pouvait se représenter sans être accablé l'embarras, le trouble et l'affliction où il avait vu Mme de Clèves. Il était inconsolable de lui avoir dit des choses sur cette aventure qui, bien que galantes par elles-mêmes, lui paraissaient, dans ce moment, grossières et peu polies, puisqu'elles avaient fait entendre à Mme de Clèves qu'il n'ignorait pas qu'elle était cette femme qui avait une passion violente et qu'il était celui pour qui elle l'avait. Tout ce qu'il eût pu souhaiter eût été une conversation avec elle ; mais il trouvait qu'il la devait craindre plutôt que de la désirer.

« Qu'aurais-je à lui dire ? s'écriait-il. Irai-je encore lui montrer ce que je ne lui ai déjà que trop fait connaître ? Lui ferai-je voir que je sais qu'elle m'aime, moi qui n'ai jamais seulement osé lui dire que je l'aimais ? Commencerai-je à lui parler ouvertement de

ma passion, afin de lui paraître un homme devenu hardi par des espérances ? Puis-je penser seulement à l'approcher et oserais-je lui donner l'embarras de soutenir ma vue ? Par où pourrais-je me justifier ? Je n'ai point d'excuse, je suis indigne d'être regardé
1185 de Mme de Clèves, et je n'espère pas aussi qu'elle me regarde jamais. Je ne lui ai donné par ma faute de meilleurs moyens pour se défendre contre moi que tous ceux qu'elle cherchait et qu'elle eût peut-être cherchés inutilement. Je perds par mon imprudence le bonheur et la gloire d'être aimé de la plus aimable et de la plus
1190 estimable personne du monde ; mais, si j'avais perdu ce bonheur sans qu'elle en eût souffert, et sans lui avoir donné une douleur mortelle, ce me serait une consolation ; et je sens plus dans ce moment le mal que je lui ai fait que celui que je me suis fait auprès d'elle.»

1195 M. de Nemours fut longtemps à s'affliger et à penser les mêmes choses. L'envie de parler à Mme de Clèves lui venait tou- jours dans l'esprit. Il songea à en trouver les moyens, il pensa à lui écrire ; mais enfin il trouva qu'après la faute qu'il avait faite, et de l'humeur dont elle était, le mieux qu'il pût faire était de lui
1200 témoigner un profond respect par son affliction et par son silence, de lui faire voir même qu'il n'osait se présenter devant elle, et d'attendre ce que le temps, le hasard et l'inclination qu'elle avait pour lui pourraient faire en sa faveur. Il résolut aussi de ne point faire de reproches au vidame de Chartres de l'infidélité qu'il lui
1205 avait faite, de peur de fortifier ses soupçons.

Les fiançailles de Madame [1], qui se faisaient le lendemain, et le mariage, qui se faisait le jour suivant, occupaient tellement toute la cour que Mme de Clèves et M. de Nemours cachèrent aisément au public leur tristesse et leur trouble. Mme la dauphine
1210 ne parla même qu'en passant à Mme de Clèves de la conversation qu'elles avaient eue avec M. de Nemours, et M. de Clèves affecta

---

1. Mme de Lafayette a puisé dans *Le Cérémonial français* de Godefroy, publié en 1649, pour relater les fiançailles de Marguerite de France.

de ne plus parler à sa femme de tout ce qui s'était passé ; de sorte qu'elle ne se trouva pas dans un aussi grand embarras qu'elle l'avait imaginé.

1215 Les fiançailles se firent au Louvre et, après le festin et le bal, toute la maison royale alla coucher à l'évêché comme c'était la coutume. Le matin, le duc d'Albe, qui n'était jamais vêtu que fort simplement, mit un habit de drap d'or mêlé de couleur de feu, de jaune et de noir, tout couvert de pierreries, et il avait une

1220 couronne fermée sur la tête. Le prince d'Orange, habillé aussi magnifiquement avec ses livrées, et tous les Espagnols suivis des leurs, vinrent prendre le duc d'Albe à l'hôtel de Villeroi où il était logé, et partirent, marchant quatre à quatre, pour venir à l'évêché. Sitôt qu'il fut arrivé, on alla par ordre à l'église : le roi menait

1225 Madame, qui avait aussi une couronne fermée et sa robe portée par mesdemoiselles de Montpensier et de Longueville. La reine marchait ensuite, mais sans couronne. Après elle, venait la reine dauphine, Madame sœur du roi, Mme de Lorraine et la reine de Navarre, leurs robes portées par des princesses. Les reines et

1230 les princesses avaient toutes leurs filles magnifiquement habillées des mêmes couleurs qu'elles étaient vêtues ; en sorte que l'on connaissait à qui étaient les filles par la couleur de leurs habits. On monta sur l'échafaud qui était préparé dans l'église, et l'on fit la cérémonie des mariages. On retourna ensuite dîner à l'évê-

1235 ché et, sur les cinq heures, on en partit pour aller au palais, où se faisait le festin, et où le Parlement, les cours souveraines et la Maison de Ville étaient priés d'assister. Le roi, les reines, les princes et princesses mangèrent sur la table de marbre dans la grande salle du palais, le duc d'Albe assis auprès de la nouvelle

1240 reine d'Espagne. Au-dessous des degrés de la table de marbre et à la main droite du roi, était une table pour les ambassadeurs, les archevêques et les chevaliers de l'ordre [1] et, de l'autre côté, une table pour messieurs du Parlement.

---

1. Il s'agit de l'ordre de Saint-Michel, fondé en 1469 par Louis XI.

Le duc de Guise, vêtu d'une robe de drap d'orfrisé [1], servait
1245 le roi de [2] grand-maître, M. le prince de Condé, de panetier, et
le duc de Nemours, d'échanson [3]. Après que les tables furent
levées, le bal commença ; il fut interrompu par des ballets et par
des machines [4] extraordinaires. On le reprit ensuite ; et enfin,
après minuit, le roi et toute la cour s'en retournèrent au Louvre.
1250 Quelque triste que fût Mme de Clèves, elle ne laissa pas de paraître aux yeux de tout le monde, et surtout aux yeux de M. de
Nemours, d'une beauté incomparable. Il n'osa lui parler, quoique
l'embarras de cette cérémonie lui en donnât plusieurs moyens ;
mais il lui fit voir tant de tristesse et une crainte si respectueuse
1255 de l'approcher qu'elle ne le trouva plus si coupable, quoiqu'il ne
lui eût rien dit pour se justifier. Il eut la même conduite les jours
suivants et cette conduite fit aussi le même effet sur le cœur de
Mme de Clèves.

Enfin, le jour du tournoi arriva [5]. Les reines se rendirent dans
1260 les galeries et sur les échafauds qui leur avaient été destinés. Les
quatre tenants parurent au bout de la lice, avec une quantité de
chevaux et de livrées qui faisaient le plus magnifique spectacle qui
eût jamais paru en France.

Le roi n'avait point d'autres couleurs que le blanc et le noir [6],
1265 qu'il portait toujours à cause de Mme de Valentinois, qui était
veuve. M. de Ferrare et toute sa suite avaient du jaune et du
rouge ; M. de Guise parut avec de l'incarnat et du blanc. On ne
savait d'abord par quelle raison il avait ces couleurs ; mais on se

---

1. *Orfrisé* : tissu en or crêpelé.
2. *Servait le roi de* : servait au roi de. Dans ce sens, le verbe peut encore être
construit avec un complément d'objet direct au XVIIe siècle.
3. Le *grand-maître* apporte les plats ; le *panetier* est chargé du pain ; l'*échanson* sert les boissons.
4. *Machines* : pièces, spectacles qui nécessitent des machines pour les chan-
gements de décor.
5. Ce tournoi, qui sera fatal à Henri II, eut lieu le 30 juin 1559.
6. Couleurs de Diane de Poitiers (voir aussi note 2, p. 34).

souvint que c'étaient celles d'une belle personne qu'il avait aimée
pendant qu'elle était fille, et qu'il aimait encore, quoiqu'il n'osât
plus le lui faire paraître. M. de Nemours avait du jaune et du noir.
On en chercha inutilement la raison. Mme de Clèves n'eut pas de
peine à le deviner : elle se souvint d'avoir dit devant lui qu'elle
aimait le jaune, et qu'elle était fâchée d'être blonde, parce qu'elle
n'en pouvait mettre. Ce prince crut pouvoir paraître avec cette
couleur sans indiscrétion, puisque, Mme de Clèves n'en mettant
point, on ne pouvait soupçonner que ce fût la sienne.

Jamais on n'a fait voir tant d'adresse que les quatre tenants
en firent paraître. Quoique le roi fût le meilleur homme de cheval
de son royaume, on ne savait à qui donner l'avantage. M. de
Nemours avait un agrément dans toutes ses actions qui pouvait
faire pencher en sa faveur des personnes moins intéressées que
Mme de Clèves. Sitôt qu'elle le vit paraître au bout de la lice, elle
sentit une émotion extraordinaire et, à toutes les courses de ce
prince, elle avait de la peine à cacher sa joie lorsqu'il avait heureusement fourni sa carrière [1].

Sur le soir, comme tout était presque fini et que l'on était
près de se retirer, le malheur de l'État fit que le roi voulut encore
rompre une lance. Il manda au comte de Montgomery, qui était
extrêmement adroit, qu'il se mît sur la lice. Le comte supplia le
roi de l'en dispenser, et allégua toutes les excuses dont il put
s'aviser ; mais le roi, quasi en colère, lui fit dire qu'il le voulait
absolument. La reine manda au roi qu'elle le conjurait de ne plus
courir ; qu'il avait si bien fait qu'il devait être content, et qu'elle
le suppliait de revenir auprès d'elle. Il répondit que c'était pour
l'amour d'elle qu'il allait courir encore et entra dans la barrière.
Elle lui renvoya M. de Savoie pour le prier une seconde fois de
revenir ; mais tout fut inutile. Il courut ; les lances se brisèrent, et
un éclat de celle du comte de Montgomery lui donna dans l'œil

---

1. *Lorsqu'il avait heureusement fourni sa carrière* : lorsqu'il avait
combattu avec succès.

1300 et y demeura. Ce prince tomba du coup, ses écuyers et M. de
Montmorency, qui était un des maréchaux de camp, coururent à
lui. Ils furent étonnés de le voir si blessé ; mais le roi ne s'étonna
point. Il dit que c'était peu de chose, et qu'il pardonnait au
comte de Montgomery. On peut juger quel trouble et quelle afflic-
1305 tion apporta un accident si funeste dans une journée destinée à la
joie. Sitôt que l'on eut porté le roi dans son lit, et que les chirur-
giens eurent visité sa plaie, ils la trouvèrent très considérable.
M. le connétable se souvint dans ce moment de la prédiction que
l'on avait faite au roi, qu'il serait tué dans un combat singulier [1] ;
1310 et il ne douta point que la prédiction ne fût accomplie.

Le roi d'Espagne, qui était alors à Bruxelles, étant averti de cet
accident, envoya son médecin, qui était un homme d'une grande
réputation ; mais il jugea le roi sans espérance.

Une cour aussi partagée et aussi remplie d'intérêts opposés
1315 n'était pas dans une médiocre agitation à la veille d'un si grand
événement ; néanmoins, tous les mouvements étaient cachés et
l'on ne paraissait occupé que de l'unique inquiétude de la santé
du roi. Les reines, les princes et les princesses ne sortaient presque point de son antichambre.

1320 Mme de Clèves, sachant qu'elle était obligée d'y être, qu'elle
y verrait M. de Nemours, qu'elle ne pourrait cacher à son mari
l'embarras que lui causait cette vue, connaissant aussi que la
seule présence de ce prince le justifiait à ses yeux et détruisait
toutes ses résolutions, prit le parti de feindre d'être malade. La
1325 cour était trop occupée pour avoir de l'attention à sa conduite
et pour démêler si son mal était faux ou véritable. Son mari seul
pouvait en connaître la vérité ; mais elle n'était pas fâchée qu'il
la connût. Ainsi elle demeura chez elle, peu occupée du grand
changement qui se préparait ; et, remplie de ses propres pensées,
1330 elle avait toute la liberté de s'y abandonner. Tout le monde était
chez le roi. M. de Clèves venait à de certaines heures lui en dire

---

1. Voir note 1, p. 100.

des nouvelles. Il conservait avec elle le même procédé qu'il avait toujours eu, hors que, quand ils étaient seuls, il y avait quelque chose d'un peu plus froid et de moins libre. Il ne lui avait point

1335 reparlé de tout ce qui s'était passé ; et elle n'avait pas eu la force et n'avait pas même jugé à propos de reprendre cette conversation.

M. de Nemours, qui s'était attendu à trouver quelques moments à parler à Mme de Clèves, fut bien surpris et bien affligé de n'avoir pas seulement le plaisir de la voir. Le mal du

1340 roi se trouva si considérable que, le septième jour, il fut désespéré des médecins. Il reçut la certitude de sa mort avec une fermeté extraordinaire et d'autant plus admirable qu'il perdait la vie par un accident si malheureux, qu'il mourait à la fleur de son âge, heureux, adoré de ses peuples et aimé d'une maîtresse qu'il

1345 aimait éperdument. La veille de sa mort, il fit faire le mariage de madame sa sœur avec M. de Savoie, sans cérémonie. L'on peut juger en quel état était la duchesse de Valentinois. La reine ne permit point qu'elle vît le roi et lui envoya demander les cachets[1] de ce prince et les pierreries de la couronne qu'elle avait en garde.

1350 Cette duchesse s'enquit si le roi était mort ; et, comme on lui eut répondu que non :

« Je n'ai donc point encore de maître, répondit-elle, et personne ne peut m'obliger à rendre ce que sa confiance m'a mis entre les mains. »

1355 Sitôt qu'il fut expiré au château des Tournelles[2], le duc de Ferrare, le duc de Guise et le duc de Nemours conduisirent au Louvre la reine mère, le roi et la reine sa femme. M. de Nemours menait la reine mère. Comme ils commençaient à marcher, elle se recula de quelques pas, et dit à la reine sa belle-fille que c'était à

1360 elle à passer la première ; mais il fut aisé de voir qu'il y avait plus d'aigreur que de bienséance dans ce compliment.

---

1. *Cachets* : sceaux.
2. Le roi expira le 10 juillet 1559.

QUATRIÈME PARTIE

Le cardinal de Lorraine s'était rendu maître absolu de l'esprit de la reine mère ; le vidame de Chartres n'avait plus aucune part dans ses bonnes grâces et l'amour qu'il avait pour Mme de Martigues et pour la liberté l'avait même empêché de sentir cette
5 perte autant qu'elle méritait d'être sentie. Ce cardinal, pendant les dix jours de la maladie du roi, avait eu le loisir de former ses desseins et de faire prendre à la reine des résolutions conformes à ce qu'il avait projeté ; de sorte que sitôt que le roi fut mort, la reine ordonna au connétable de demeurer aux Tournelles auprès
10 du corps du feu roi, pour faire les cérémonies ordinaires. Cette commission [1] l'éloignait de tout et lui ôtait la liberté d'agir. Il envoya un courrier au roi de Navarre pour le faire venir en diligence, afin de s'opposer ensemble à la grande élévation où il voyait que messieurs de Guise allaient parvenir. On donna le
15 commandement des armées au duc de Guise et les finances au cardinal de Lorraine. La duchesse de Valentinois fut chassée de la cour ; on fit revenir le cardinal de Tournon, ennemi déclaré du connétable, et le chancelier Olivier, ennemi déclaré de la duchesse de Valentinois. Enfin, la cour changea entièrement de
20 face. Le duc de Guise prit le même rang que les princes du sang à porter le manteau du roi aux cérémonies des funérailles : lui et ses frères furent entièrement les maîtres, non seulement par

---

1. *Commission* : mission.

le crédit du cardinal sur l'esprit de la reine, mais parce que cette
princesse crut qu'elle pourrait les éloigner s'ils lui donnaient de
25 l'ombrage et qu'elle ne pourrait éloigner le connétable, qui était
appuyé des princes du sang.

Lorsque les cérémonies du deuil furent achevées, le connétable vint au Louvre et fut reçu du roi avec beaucoup de froideur.
Il voulut lui parler en particulier ; mais le roi appela messieurs de
30 Guise et lui dit, devant eux, qu'il lui conseillait de se reposer ; que
les finances et le commandement des armées étaient donnés et
que, lorsqu'il aurait besoin de ses conseils, il l'appellerait auprès
de sa personne. Il fut reçu de [1] la reine mère encore plus froide-
ment que du roi, et elle lui fit même des reproches de ce qu'il
35 avait dit au feu roi que ses enfants ne lui ressemblaient point.
Le roi de Navarre arriva et ne fut pas mieux reçu. Le prince de
Condé, moins endurant que son frère, se plaignit hautement ; ses
plaintes furent inutiles, on l'éloigna de la cour sous le prétexte de
l'envoyer en Flandre signer la ratification de la paix. On fit voir
40 au roi de Navarre une fausse lettre du roi d'Espagne qui l'accusait
de faire des entreprises sur ses places ; on lui fit craindre pour
ses terres ; enfin on lui inspira le dessein de s'en aller en Béarn.
La reine lui en fournit un moyen en lui donnant la conduite de
Mme Élisabeth, et l'obligea même à partir devant cette princesse ;
45 et ainsi il ne demeura personne à la cour qui pût balancer le pouvoir de la maison de Guise [2].

Quoique ce fût une chose fâcheuse pour M. de Clèves de ne
pas conduire Mme Élisabeth, néanmoins il ne put s'en plaindre
par la grandeur de celui qu'on lui préférait ; mais il regrettait
50 moins cet emploi par l'honneur qu'il en eût reçu, que parce que

---

1. *De* : par.
2. François II est âgé de quinze ans à la mort de son père. Bien que majeur,
il est immature et se révèle incapable de gouverner. La maison de Guise en
profite pour asseoir son pouvoir à la cour. Mme de Lafayette a procédé à des
recherches précises et s'appuie sur *L'Histoire de France* de Mézeray (1643-
1651).

c'était une chose qui éloignait sa femme de la cour sans qu'il parût qu'il eût dessein de l'en éloigner.

Peu de jours après la mort du roi, on résolut d'aller à Reims pour le sacre [1]. Sitôt qu'on parla de ce voyage, Mme de Clèves,
55 qui avait toujours demeuré chez elle feignant d'être malade, pria son mari de trouver bon qu'elle ne suivît point la cour et qu'elle s'en allât à Coulommiers prendre l'air et songer à sa santé. Il lui répondit qu'il ne voulait point pénétrer si c'était la raison de sa santé qui l'obligeait à ne pas faire le voyage, mais qu'il consen-
60 tait qu'elle ne le fît point. Il n'eut pas de peine à consentir à une chose qu'il avait déjà résolue : quelque bonne opinion qu'il eût de la vertu de sa femme, il voyait bien que la prudence ne voulait pas qu'il l'exposât plus longtemps à la vue d'un homme qu'elle aimait.

65 M. de Nemours sut bientôt que Mme de Clèves ne devait pas suivre la cour ; il ne put se résoudre à partir sans la voir et, la veille du départ, il alla chez elle aussi tard que la bienséance le pouvait permettre, afin de la trouver seule. La fortune favorisa son intention. Comme il entra dans la cour, il trouva Mme de Nevers
70 et Mme de Martigues qui en sortaient et qui lui dirent qu'elles l'avaient laissée seule. Il monta avec une agitation et un trouble qui ne se peut comparer qu'à celui qu'eut Mme de Clèves quand on lui dit que M. de Nemours venait pour la voir. La crainte qu'elle eut qu'il ne lui parlât de sa passion, l'appréhension de lui
75 répondre trop favorablement, l'inquiétude que cette visite pouvait donner à son mari, la peine de lui en rendre compte ou de lui cacher toutes ces choses, se présentèrent en un moment à son esprit et lui firent un si grand embarras qu'elle prit la résolution d'éviter la chose du monde qu'elle souhaitait peut-être le plus.
80 Elle envoya une de ses femmes à M. de Nemours, qui était dans son antichambre, pour lui dire qu'elle venait de se trouver mal, et qu'elle était bien fâchée de ne pouvoir recevoir l'honneur qu'il

---

1. Le sacre de François II eut lieu à Reims le 21 septembre 1559.

lui voulait faire. Quelle douleur pour ce prince de ne pas voir
Mme de Clèves et de ne la pas voir parce qu'elle ne voulait pas
85 qu'il la vît ! Il s'en allait le lendemain ; il n'avait plus rien à espérer du hasard. Il ne lui avait rien dit depuis cette conversation
de chez Mme la dauphine, et il avait lieu de croire que la faute
d'avoir parlé au vidame avait détruit toutes ses espérances ; enfin
il s'en allait avec tout ce qui peut aigrir une vive douleur.

90   Sitôt que Mme de Clèves fut un peu remise du trouble que
lui avait donné la pensée de la visite de ce prince, toutes les raisons qui la lui avaient fait refuser disparurent ; elle trouva même
qu'elle avait fait une faute et, si elle eût osé ou qu'il eût encore été
assez à temps, elle l'aurait fait rappeler.

95   Mmes de Nevers et de Martigues, en sortant de chez elle, allèrent chez la reine dauphine ; M. de Clèves y était. Cette princesse
leur demanda d'où elles venaient ; elles lui dirent qu'elles venaient
de chez Mme de Clèves, où elles avaient passé une partie de l'après-
dînée avec beaucoup de monde, et qu'elles n'y avaient laissé que
100 M. de Nemours. Ces paroles, qu'elles croyaient si indifférentes,
ne l'étaient pas pour M. de Clèves. Quoiqu'il dût bien s'imaginer
que M. de Nemours pouvait trouver souvent des occasions de
parler à sa femme, néanmoins la pensée qu'il était chez elle, qu'il
y était seul et qu'il lui pouvait parler de son amour lui parut dans
105 ce moment une chose si nouvelle et si insupportable que la jalousie s'alluma dans son cœur avec plus de violence qu'elle n'avait
encore fait. Il lui fut impossible de demeurer chez la reine ; il s'en
revint, ne sachant pas même pourquoi il revenait, et s'il avait
dessein d'aller interrompre M. de Nemours. Sitôt qu'il approcha
110 de chez lui, il regarda s'il ne verrait rien qui lui pût faire juger si
ce prince y était encore ; il sentit du soulagement en voyant qu'il
n'y était plus et il trouva de la douceur à penser qu'il ne pouvait
y avoir demeuré longtemps. Il s'imagina que ce n'était peut-être
pas M. de Nemours, dont il devait être jaloux. Et quoiqu'il n'en
115 doutât point, il cherchait à en douter ; mais tant de choses l'en
auraient persuadé qu'il ne demeurait pas longtemps dans cette

incertitude qu'il désirait. Il alla d'abord dans la chambre de sa femme et, après lui avoir parlé quelque temps de choses indifférentes, il ne put s'empêcher de lui demander ce qu'elle avait 120 fait et qui elle avait vu ; elle lui en rendit compte. Comme il vit qu'elle ne lui nommait point M. de Nemours, il lui demanda, en tremblant, si c'était tout ce qu'elle avait vu, afin de lui donner lieu de nommer ce prince et de n'avoir pas la douleur qu'elle lui en fît une finesse [1]. Comme elle ne l'avait point vu, elle ne le lui 125 nomma point, et M. de Clèves, reprenant la parole avec un ton qui marquait son affliction :

« Et M. de Nemours, lui dit-il, ne l'avez-vous point vu, ou l'avez-vous oublié ?

— Je ne l'ai point vu, en effet, répondit-elle ; je me trouvais mal 130 et j'ai envoyé une de mes femmes lui faire des excuses.

— Vous ne vous trouviez donc mal que pour lui, reprit M. de Clèves. Puisque vous avez vu tout le monde, pourquoi des distinctions pour M. de Nemours ? Pourquoi ne vous est-il pas comme un autre ? Pourquoi faut-il que vous craigniez sa vue ? Pourquoi 135 lui laissez-vous voir que vous la craignez ? Pourquoi lui faites-vous connaître que vous vous servez du pouvoir que sa passion vous donne sur lui ? Oseriez-vous refuser de le voir si vous ne saviez bien qu'il distingue vos rigueurs de l'incivilité [2] ? Mais pourquoi faut-il que vous ayez des rigueurs pour lui ? D'une personne 140 comme vous, Madame, tout est des faveurs hors l'indifférence.

— Je ne croyais pas, reprit Mme de Clèves, quelque soupçon que vous ayez sur M. de Nemours, que vous pussiez me faire des reproches de ne l'avoir pas vu.

— Je vous en fais pourtant, Madame, répliqua-t-il, et ils sont 145 bien fondés. Pourquoi ne le pas voir s'il ne vous a rien dit ? Mais, Madame, il vous a parlé ; si son silence seul vous avait témoigné sa passion, elle n'aurait pas fait en vous une si grande impression.

---

1. *Finesse* : mensonge.
2. *Incivilité* : impolitesse.

Vous n'avez pu me dire la vérité tout entière, vous m'en avez caché la plus grande partie ; vous vous êtes repentie même du peu que vous m'avez avoué et vous n'avez pas eu la force de continuer. Je suis plus malheureux que je ne l'ai cru et je suis le plus malheureux de tous les hommes. Vous êtes ma femme, je vous aime comme ma maîtresse et je vous en vois aimer un autre. Cet autre est le plus aimable de la cour et il vous voit tous les jours, il sait que vous l'aimez. Eh ! j'ai pu croire, s'écria-t-il, que vous surmonteriez la passion que vous avez pour lui. Il faut que j'aie perdu la raison pour avoir cru qu'il[1] fût possible.

– Je ne sais, reprit tristement Mme de Clèves, si vous avez eu tort de juger favorablement d'un procédé aussi extraordinaire que le mien ; mais je ne sais si je ne me suis trompée d'avoir cru que vous me feriez justice.

– N'en doutez pas, Madame, répliqua M. de Clèves, vous vous êtes trompée. Vous avez attendu de moi des choses aussi impossibles que celles que j'attendais de vous. Comment pouviez-vous espérer que je conservasse de la raison ? Vous aviez donc oublié que je vous aimais éperdument et que j'étais votre mari ? L'un des deux peut porter aux extrémités : que ne peuvent point les deux ensemble ? Eh ! que ne sont-ils point aussi, continua-t-il ; je n'ai que des sentiments violents et incertains dont je ne suis pas le maître. Je ne me trouve plus digne de vous ; vous ne me paraissez plus digne de moi. Je vous adore, je vous hais, je vous offense, je vous demande pardon ; je vous admire, j'ai honte de vous admirer[2]. Enfin il n'y a plus en moi ni de calme, ni de raison. Je ne sais comment j'ai pu vivre depuis que vous me parlâtes à Coulommiers et depuis le jour que vous apprîtes de Mme la dauphine que l'on savait votre aventure. Je ne saurais démêler par où elle a été sue, ni ce qui se passa entre M. de Nemours et

---

1. *Il* : cela.
2. Ces antithèses rappellent la rhétorique amoureuse des *Amours* de Ronsard (1552).

vous sur ce sujet ; vous ne me l'expliquerez jamais et je ne vous
demande point de me l'expliquer. Je vous demande seulement de
180 vous souvenir que vous m'avez rendu le plus malheureux homme
du monde. »

M. de Clèves sortit de chez sa femme après ces paroles et partit le lendemain sans la voir ; mais il lui écrivit une lettre pleine
d'affliction, d'honnêteté et de douceur. Elle y fit une réponse si
185 touchante et si remplie d'assurances de sa conduite passée et de
celle qu'elle aurait à l'avenir que, comme ses assurances étaient
fondées sur la vérité et que c'était en effet ses sentiments, cette
lettre fit de l'impression sur M. de Clèves et lui donna quelque
calme ; joint que M. de Nemours, allant trouver le roi aussi bien
190 que lui, il avait le repos de savoir qu'il ne serait pas au même lieu
que Mme de Clèves. Toutes les fois que cette princesse parlait
à son mari, la passion qu'il lui témoignait, l'honnêteté de son
procédé, l'amitié qu'elle avait pour lui, et ce qu'elle lui devait faisaient des impressions dans son cœur qui affaiblissaient l'idée de
195 M. de Nemours ; mais ce n'était que pour quelque temps ; et cette
idée revenait bientôt plus vive et plus présente qu'auparavant.

Les premiers jours du départ de ce prince, elle ne sentit quasi
pas son absence ; ensuite elle lui parut cruelle. Depuis qu'elle
l'aimait, il ne s'était point passé de jour qu'elle n'eût craint, ou
200 espéré de le rencontrer, et elle trouva une grande peine à penser
qu'il n'était plus au pouvoir du hasard de faire qu'elle le rencon-
trât.

Elle s'en alla à Coulommiers ; et, en y allant, elle eut soin
d'y faire porter de grands tableaux que M. de Clèves avait fait
205 copier sur des originaux qu'avait fait faire Mme de Valentinois
pour sa belle maison d'Anet [1]. Toutes les actions remarquables
qui s'étaient passées du règne du roi étaient dans ces tableaux. Il

---

1. Le château d'Anet avait été construit par Henri II pour Diane de Poitiers
(1547-1552).

y avait entre autres le siège de Metz [1], et tous ceux qui s'y étaient distingués étaient peints fort ressemblants. M. de Nemours était de ce nombre, et c'était peut-être ce qui avait donné envie à Mme de Clèves d'avoir ces tableaux.

Mme de Martigues, qui n'avait pu partir avec la cour, lui promit d'aller passer quelques jours à Coulommiers. La faveur de la reine qu'elles partageaient ne leur avait point donné d'envie, ni d'éloignement l'une de l'autre ; elles étaient amies sans néanmoins se confier leurs sentiments. Mme de Clèves savait que Mme de Martigues aimait le vidame ; mais Mme de Martigues ne savait pas que Mme de Clèves aimât M. de Nemours, ni qu'elle en fût aimée. La qualité de nièce du vidame rendait Mme de Clèves plus chère à Mme de Martigues ; et Mme de Clèves l'aimait aussi comme une personne qui avait une passion aussi bien qu'elle, et qui l'avait pour l'ami intime de son amant.

Mme de Martigues vint à Coulommiers, comme elle l'avait promis à Mme de Clèves ; elle la trouva dans une vie fort solitaire. Cette princesse avait même cherché le moyen d'être dans une solitude entière et de passer les soirs dans les jardins sans être accompagnée de ses domestiques. Elle venait dans ce pavillon où M. de Nemours l'avait écoutée ; elle entrait dans le cabinet qui était ouvert sur le jardin. Ses femmes et ses domestiques demeuraient dans l'autre cabinet, ou sous le pavillon, et ne venaient point à elle qu'elle ne les appelât. Mme de Martigues n'avait jamais vu Coulommiers ; elle fut surprise de toutes les beautés qu'elle y trouva et surtout de l'agrément [2] de ce pavillon. Mme de Clèves et elle y passaient tous les soirs. La liberté de se trouver seules, la nuit, dans le plus beau lieu du monde, ne laissait pas finir la conversation entre deux jeunes personnes qui avaient des passions violentes dans le cœur ; et, quoiqu'elles ne s'en fissent

---

1. *Siège de Metz* : il se déroula en 1552. Le chevalier de Guise dirigea ce siège contre les armées impériales de Charles Quint. Voir note 7, p. 41.
2. *Agrément* : confort et beauté.

point de confidence, elles trouvaient un grand plaisir à se parler.
Mme de Martigues aurait eu de la peine à quitter Coulommiers si,
240 en le quittant, elle n'eût dû aller dans un lieu où était le vidame.
Elle partit pour aller à Chambord, où la cour était alors.

Le sacre avait été fait à Reims [1] par le cardinal de Lorraine, et
l'on devait passer le reste de l'été dans le château de Chambord,
qui était nouvellement bâti [2]. La reine témoigna une grande joie
245 de revoir Mme de Martigues ; et, après lui en avoir donné plusieurs marques, elle lui demanda des nouvelles de Mme de Clèves
et de ce qu'elle faisait à la campagne. M. de Nemours et M. de
Clèves étaient alors chez cette reine. Mme de Martigues, qui avait
trouvé Coulommiers admirable, en conta toutes les beautés, et
250 elle s'étendit extrêmement sur la description de ce pavillon de la
forêt, et sur le plaisir qu'avait Mme de Clèves de s'y promener
seule une partie de la nuit. M. de Nemours, qui connaissait assez
le lieu pour entendre ce qu'en disait Mme de Martigues, pensa
qu'il n'était pas impossible qu'il y pût voir Mme de Clèves, sans
255 être vu que d'elle [3]. Il fit quelques questions à Mme de Martigues
pour s'en éclaircir encore ; et M. de Clèves, qui l'avait toujours
regardé pendant que Mme de Martigues avait parlé, crut voir
dans ce moment ce qui lui passait dans l'esprit. Les questions que
fit ce prince le confirmèrent encore dans cette pensée ; en sorte
260 qu'il ne douta point qu'il n'eût dessein d'aller voir sa femme. Il
ne se trompait pas dans ses soupçons. Ce dessein entra si fortement dans l'esprit de M. de Nemours qu'après avoir passé la
nuit à songer aux moyens de l'exécuter, dès le lendemain matin,
il demanda congé au roi pour aller à Paris, sur quelque prétexte
265 qu'il inventa.

M. de Clèves ne douta point du sujet de ce voyage ; mais il
résolut de s'éclaircir de la conduite de sa femme et de ne pas

---

1. Voir note 1, p. 170.
2. Le château de Chambord a été construit sous le règne de François Ier.
3. *Sans être vu que d'elle* : sans être vu par d'autres qu'elle.

demeurer dans une cruelle incertitude. Il eut envie de partir en
même temps que M. de Nemours, et de venir lui-même caché
découvrir quel succès aurait ce voyage ; mais, craignant que son
départ ne parût extraordinaire [1], et que M. de Nemours, en étant
averti, ne prît d'autres mesures, il résolut de se fier à un gentilhomme qui était à lui, dont il connaissait la fidélité et l'esprit [2]. Il
lui conta dans quel embarras il se trouvait. Il lui dit quelle avait
été jusqu'alors la vertu de Mme de Clèves et lui ordonna de partir
sur les pas de M. de Nemours, de l'observer exactement, de voir
s'il n'irait point à Coulommiers et s'il n'entrerait point la nuit
dans le jardin.

Le gentilhomme qui était très capable d'une telle commission [3],
s'en acquitta avec toute l'exactitude imaginable. Il suivit M. de
Nemours jusqu'à un village, à une demi-lieue de Coulommiers, où
ce prince s'arrêta, et le gentilhomme devina aisément que c'était
pour y attendre la nuit. Il ne crut pas à propos de l'y attendre
aussi ; il passa le village et alla dans la forêt, à l'endroit par où il
jugeait que M. de Nemours pouvait passer ; il ne se trompa point
dans tout ce qu'il avait pensé. Sitôt que la nuit fut venue, il entendit marcher, et quoiqu'il fît obscur, il reconnut aisément M. de
Nemours. Il le vit faire le tour du jardin, comme pour écouter s'il
n'y entendrait personne, et pour choisir le lieu par où il pourrait
passer le plus aisément. Les palissades étaient fort hautes, et il y
en avait encore derrière, pour empêcher qu'on ne pût entrer ; en
sorte qu'il était assez difficile de se faire passage. M. de Nemours
en vint à bout néanmoins ; sitôt qu'il fut dans ce jardin, il n'eut
pas de peine à démêler où était Mme de Clèves. Il vit beaucoup
de lumières dans le cabinet ; toutes les fenêtres en étaient ouvertes
et, en se glissant le long des palissades, il s'en approcha avec un
trouble et une émotion qu'il est aisé de se représenter. Il se rangea

---

1. *Extraordinaire* : étrange.
2. *Esprit* : intelligence.
3. *Commission* : voir note 1, p. 168.

derrière une des fenêtres, qui servait de porte, pour voir ce que faisait Mme de Clèves. Il vit qu'elle était seule ; mais il la vit d'une
300 si admirable beauté qu'à peine fut-il maître du transport que lui donna cette vue. Il faisait chaud, et elle n'avait rien, sur sa tête et sur sa gorge, que ses cheveux confusément rattachés. Elle était sur un lit de repos, avec une table devant elle, où il y avait plusieurs corbeilles pleines de rubans ; elle en choisit quelques-uns,
305 et M. de Nemours remarqua que c'étaient des mêmes couleurs qu'il avait portées au tournoi. Il vit qu'elle en faisait des nœuds à une canne [1] des Indes, fort extraordinaire, qu'il avait portée quelque temps et qu'il avait donnée à sa sœur, à qui Mme de Clèves l'avait prise sans faire semblant de la reconnaître pour
310 avoir été à M. de Nemours. Après qu'elle eut achevé son ouvrage avec une grâce et une douceur que répandaient sur son visage les sentiments qu'elle avait dans le cœur, elle prit un flambeau et s'en alla proche d'une grande table, vis-à-vis du tableau du siège de Metz, où était le portrait de M. de Nemours ; elle s'assit et se
315 mit à regarder ce portrait avec une attention et une rêverie que la passion seule peut donner.

On ne peut exprimer ce que sentit M. de Nemours dans ce moment. Voir, au milieu de la nuit, dans le plus beau lieu du monde, une personne qu'il adorait, la voir sans qu'elle sût qu'il
320 la voyait, et la voir tout occupée de choses qui avaient du rapport à lui et à la passion qu'elle lui cachait, c'est ce qui n'a jamais été goûté ni imaginé par nul autre amant.

Ce prince était aussi tellement hors de lui-même, qu'il demeurait immobile à regarder Mme de Clèves, sans songer que les
325 moments lui étaient précieux. Quand il fut un peu remis, il pensa qu'il devait attendre à [2] lui parler qu'elle allât dans le jardin ; il crut qu'il le pourrait faire avec plus de sûreté, parce qu'elle serait

---

1. Canne : bâton de commandement. Ce passage a suscité de nombreux commentaires ; le plus célèbre est celui de Michel Butor dans *Répertoire I* (1968), qui voit dans cet objet un symbole phallique.
2. À : pour.

plus éloignée de ses femmes. Mais, voyant qu'elle demeurait dans le cabinet, il prit la résolution d'y entrer. Quand il voulut l'exé-
330 cuter, quel trouble n'eut-il point ! Quelle crainte de lui déplaire ! Quelle peur de faire changer ce visage où il y avait tant de douceur, et de le voir devenir plein de sévérité et de colère !

Il trouva qu'il y avait eu de la folie, non pas à venir voir Mme de Clèves sans être vu, mais à penser de s'en faire voir ;
335 il vit tout ce qu'il n'avait point encore envisagé. Il lui parut de l'extravagance dans sa hardiesse de venir surprendre, au milieu de la nuit, une personne à qui il n'avait encore jamais parlé de son amour. Il pensa qu'il ne devait pas prétendre qu'elle le voulût écouter, et qu'elle aurait une juste colère du péril où il l'exposait,
340 par les accidents [1] qui pouvaient arriver. Tout son courage l'abandonna, et il fut prêt plusieurs fois à prendre la résolution de s'en retourner sans se faire voir. Poussé néanmoins par le désir de lui parler, et rassuré par les espérances que lui donnait tout ce qu'il avait vu, il avança quelques pas, mais avec tant de trouble qu'une
345 écharpe qu'il avait s'embarrassa dans la fenêtre, en sorte qu'il fit du bruit. Mme de Clèves tourna la tête, et, soit qu'elle eût l'esprit rempli de ce prince, ou qu'il fût dans un lieu où la lumière donnait assez pour qu'elle le pût distinguer, elle crut le reconnaître et, sans balancer ni se retourner du côté où il était, elle entra dans le
350 lieu où étaient ses femmes. Elle y entra avec tant de trouble qu'elle fut contrainte, pour le cacher, de dire qu'elle se trouvait mal ; et elle le dit aussi pour occuper tous ses gens et pour donner le temps à M. de Nemours de se retirer. Quand elle eut fait quelque réflexion, elle pensa qu'elle s'était trompée et que c'était un effet
355 de son imagination d'avoir cru voir M. de Nemours. Elle savait qu'il était à Chambord, elle ne trouvait nulle apparence qu'il eût entrepris une chose si hasardeuse ; elle eut envie plusieurs fois de rentrer dans le cabinet et d'aller voir dans le jardin s'il y avait quelqu'un. Peut-être souhaitait-elle, autant qu'elle le craignait,

---

1. *Accidents* : événements imprévus.

³⁶⁰ d'y trouver M. de Nemours. Mais enfin la raison et la prudence l'emportèrent sur tous ses autres sentiments, et elle trouva qu'il valait mieux demeurer dans le doute où elle était que de prendre le hasard de s'en éclaircir. Elle fut longtemps à se résoudre à sortir d'un lieu dont elle pensait que ce prince était peut-être si proche, ³⁶⁵ et il était quasi jour quand elle revint au château.

M. de Nemours était demeuré dans le jardin tant qu'il avait vu de la lumière. Il n'avait pu perdre l'espérance de revoir Mme de Clèves, quoiqu'il fût persuadé qu'elle l'avait reconnu et qu'elle n'était sortie que pour l'éviter. Mais voyant qu'on fermait les por- ³⁷⁰ tes, il jugea bien qu'il n'avait plus rien à espérer. Il vint reprendre son cheval tout proche du lieu où attendait le gentilhomme de M. de Clèves. Ce gentilhomme le suivit jusqu'au même village d'où il était parti le soir. M. de Nemours se résolut d'y passer tout le jour, afin de retourner la nuit à Coulommiers, pour voir ³⁷⁵ si Mme de Clèves aurait encore la cruauté de le fuir, ou celle de ne se pas exposer à être vue. Quoiqu'il eût une joie sensible de l'avoir trouvée si remplie de son idée, il était néanmoins très affligé de lui avoir vu un mouvement si naturel de le fuir.

La passion n'a jamais été si tendre et si violente qu'elle l'était ³⁸⁰ alors en ce prince. Il s'en alla sous des saules, le long d'un petit ruisseau qui coulait derrière la maison où il était caché. Il s'éloi- gna le plus qu'il lui fut possible, pour n'être vu ni entendu de personne. Il s'abandonna aux transports de son amour, et son cœur en fut tellement pressé qu'il fut contraint de laisser couler ³⁸⁵ quelques larmes ; mais ces larmes n'étaient pas de celles que la douleur seule fait répandre, elles étaient mêlées de douceur et de ce charme qui ne se trouve que dans l'amour.

Il se mit à repasser toutes les actions de Mme de Clèves depuis qu'il en était amoureux ; quelle rigueur [1] honnête et modeste elle ³⁹⁰ avait toujours eue pour lui, quoiqu'elle l'aimât. «Car, enfin, elle m'aime, disait-il ; elle m'aime, je n'en saurais douter. Les plus

---

1. *Rigueur* : froideur.

grands engagements et les plus grandes faveurs ne sont pas des marques si assurées que celles que j'en ai eues. Cependant je suis traité avec la même rigueur que si j'étais haï ; j'ai espéré au temps[1], je n'en dois plus rien attendre ; je la vois toujours se défendre également contre moi et contre elle-même. Si je n'étais point aimé, je songerais à plaire ; mais je plais, on m'aime, et on me le cache. Que puis-je donc espérer, et quel changement dois-je attendre dans ma destinée ? Quoi ! je serai aimé de la plus aimable personne du monde, et je n'aurai cet excès d'amour que donnent les premières certitudes d'être aimé que pour mieux sentir la douleur d'être maltraité ! Laissez-moi voir que vous m'aimez, belle princesse, s'écria-t-il, laissez-moi voir vos sentiments ; pourvu que je les connaisse par vous une fois en ma vie, je consens que vous repreniez pour toujours ces rigueurs dont vous m'accablez. Regardez-moi du moins avec ces mêmes yeux dont je vous ai vue cette nuit regarder mon portrait ; pouvez-vous l'avoir regardé avec tant de douceur et m'avoir fui moi-même si cruellement ? Que craignez-vous ? Pourquoi mon amour vous est-il si redoutable ? Vous m'aimez, vous me le cachez inutilement ; vous-même m'en avez donné des marques involontaires. Je sais mon bonheur ; laissez-m'en jouir, et cessez de me rendre malheureux. Est-il possible, reprenait-il, que je sois aimé de Mme de Clèves et que je sois malheureux ? Qu'elle était belle cette nuit ! Comment ai-je pu résister à l'envie de me jeter à ses pieds ? Si je l'avais fait, je l'aurais peut-être empêchée de me fuir, mon respect l'aurait rassurée. Mais peut-être elle ne m'a pas reconnu ; je m'afflige plus que je ne dois, et la vue d'un homme, à une heure si extraordinaire, l'a effrayée. »

Ces mêmes pensées occupèrent tout le jour M. de Nemours ; il attendit la nuit avec impatience ; et, quand elle fut venue, il reprit le chemin de Coulommiers. Le gentilhomme de M. de Clèves, qui s'était déguisé afin d'être moins remarqué, le suivit jusqu'au

---

1. *J'ai espéré au temps* : j'ai espéré que le temps ferait son œuvre.

lieu où il l'avait suivi le soir d'auparavant, et le vit entrer dans
425 le même jardin. Ce prince connut bientôt que Mme de Clèves
n'avait pas voulu hasarder qu'il essayât encore de la voir ; toutes
les portes étaient fermées. Il tourna de tous les côtés pour découvrir s'il ne verrait point de lumières ; mais ce fut inutilement.

Mme de Clèves, s'étant doutée que M. de Nemours pourrait
430 revenir, était demeurée dans sa chambre ; elle avait appréhendé
de n'avoir pas toujours la force de le fuir, et elle n'avait pas voulu
se mettre au hasard [1] de lui parler d'une manière si peu conforme
à la conduite qu'elle avait eue jusqu'alors.

Quoique M. de Nemours n'eût aucune espérance de la voir, il
435 ne put se résoudre à sortir si tôt d'un lieu où elle était si souvent.
Il passa la nuit entière dans le jardin et trouva quelque consolation à voir du moins les mêmes objets qu'elle voyait tous les
jours. Le soleil était levé devant qu'il pensât à se retirer ; mais
enfin la crainte d'être découvert l'obligea à s'en aller.

440 Il lui fut impossible de s'éloigner sans voir Mme de Clèves ;
et il alla chez Mme de Mercœur, qui était alors dans cette maison qu'elle avait proche de Coulommiers. Elle fut extrêmement
surprise de l'arrivée de son frère. Il inventa une cause de son
voyage, assez vraisemblable pour la tromper, et enfin il conduisit
445 si habilement son dessein qu'il l'obligea à lui proposer d'elle-
même d'aller chez Mme de Clèves. Cette proposition fut exécutée
dès le même jour, et M. de Nemours dit à sa sœur qu'il la quit-
terait à Coulommiers pour s'en retourner en diligence trouver le
roi. Il fit ce dessein de la quitter à Coulommiers dans la pensée
450 de l'en laisser partir la première ; et il crut avoir trouvé un moyen
infaillible de parler à Mme de Clèves.

Comme ils arrivèrent, elle se promenait dans une grande allée
qui borde le parterre. La vue de M. de Nemours ne lui causa pas
un médiocre trouble, et ne lui laissa plus douter que ce ne fût
455 lui qu'elle avait vu la nuit précédente. Cette certitude lui donna

---

1. *Se mettre au hasard* : courir le risque.

quelque mouvement de colère, par la hardiesse et l'imprudence qu'elle trouvait dans ce qu'il avait entrepris. Ce prince remarqua une impression de froideur sur son visage qui lui donna une sensible douleur. La conversation fut de choses indifférentes ; et néanmoins il trouva l'art d'y faire paraître tant d'esprit, tant de complaisance et tant d'admiration pour Mme de Clèves qu'il dissipa, malgré elle, une partie de la froideur qu'elle avait eue d'abord.

Lorsqu'il se sentit rassuré de sa première crainte, il témoigna une extrême curiosité d'aller voir le pavillon de la forêt. Il en parla comme du plus agréable lieu du monde et en fit même une description si particulière que Mme de Mercœur lui dit qu'il fallait qu'il y eût été plusieurs fois pour en connaître si bien toutes les beautés.

«Je ne crois pourtant pas, reprit Mme de Clèves, que M. de Nemours y ait jamais entré ; c'est un lieu qui n'est achevé que depuis peu.

– Il n'y a pas longtemps aussi que j'y ai été, reprit M. de Nemours en la regardant, et je ne sais si je ne dois point être bien aise que vous ayez oublié de m'y avoir vu.»

Mme de Mercœur, qui regardait la beauté des jardins, n'avait point d'attention à ce que disait son frère. Mme de Clèves rougit et, baissant les yeux sans regarder M. de Nemours :

«Je ne me souviens point, lui dit-elle, de vous y avoir vu ; et, si vous y avez été, c'est sans que je l'aie su.

– Il est vrai, Madame, répliqua M. de Nemours, que j'y ai été sans vos ordres, et j'y ai passé les plus doux et les plus cruels moments de ma vie.»

Mme de Clèves entendait trop bien tout ce que disait ce prince, mais elle n'y répondit point ; elle songea à empêcher Mme de Mercœur d'aller dans ce cabinet, parce que le portrait de M. de Nemours y était et qu'elle ne voulait pas qu'elle l'y vît. Elle fit si bien que le temps se passa insensiblement, et Mme de Mercœur parla de s'en retourner. Mais quand Mme de Clèves vit

490 que M. de Nemours et sa sœur ne s'en allaient pas ensemble, elle jugea bien à quoi elle allait être exposée. Elle se trouva dans le même embarras où elle s'était trouvée à Paris, et elle prit aussi le même parti. La crainte que cette visite ne fût encore une confirmation des soupçons qu'avait son mari ne contribua pas peu à 495 la déterminer; et, pour éviter que M. de Nemours ne demeurât seul avec elle, elle dit à Mme de Mercœur qu'elle l'allait conduire jusqu'au bord de la forêt, et elle ordonna que son carrosse la suivît. La douleur qu'eut ce prince de trouver toujours cette même continuation des rigueurs en Mme de Clèves fut si violente qu'il 500 en pâlit dans le même moment. Mme de Mercœur lui demanda s'il se trouvait mal; mais il regarda Mme de Clèves, sans que personne s'en aperçût, et il lui fit juger par ses regards qu'il n'avait d'autre mal que son désespoir. Cependant il fallut qu'il les laissât partir sans oser les suivre, et, après ce qu'il avait dit, il ne pouvait 505 plus retourner avec sa sœur; ainsi, il revint à Paris, et en partit le lendemain.

Le gentilhomme de M. de Clèves l'avait toujours observé. Il revint aussi à Paris et, comme il vit M. de Nemours parti pour Chambord, il prit la poste [1], afin d'y arriver devant lui et de rendre 510 compte de son voyage. Son maître attendait son retour, comme ce qui allait décider du malheur de toute sa vie.

Sitôt qu'il le vit, il jugea, par son visage et par son silence, qu'il n'avait que des choses fâcheuses à lui apprendre. Il demeura quelque temps saisi d'affliction, la tête baissée sans pouvoir par-515 ler; enfin, il lui fit signe de la main de se retirer:

«Allez, dit-il, je vois ce que vous avez à me dire; mais je n'ai pas la force de l'écouter.

– Je n'ai rien à vous apprendre, répondit le gentilhomme, sur quoi on puisse faire de jugement assuré. Il est vrai que 520 M. de Nemours a entré deux nuits de suite dans le jardin de la

---

1. *La poste* : voiture tirée par des chevaux destinée à transporter des passagers.

forêt, et qu'il a été le jour d'après à Coulommiers avec Mme de Mercœur.

– C'est assez, répliqua M. de Clèves, c'est assez, en lui faisant encore signe de se retirer, et je n'ai pas besoin d'un plus grand 525 éclaircissement.»

Le gentilhomme fut contraint de laisser son maître abandonné à son désespoir. Il n'y en a peut-être jamais eu un plus violent, et peu d'hommes d'un aussi grand courage et d'un cœur aussi passionné que M. de Clèves ont ressenti en même temps la douleur 530 que cause l'infidélité d'une maîtresse et la honte d'être trompé par une femme.

M. de Clèves ne put résister à l'accablement où il se trouva. La fièvre lui prit dès la nuit même, et avec de si grands accidents [1] que, dès ce moment, sa maladie parut très dangereuse. On en 535 donna avis à Mme de Clèves ; elle vint en diligence. Quand elle arriva, il était encore plus mal ; elle lui trouva quelque chose de si froid et de si glacé pour elle qu'elle en fut extrêmement surprise et affligée. Il lui parut même qu'il recevait avec peine les services qu'elle lui rendait ; mais enfin elle pensa que c'était peut-être un 540 effet de sa maladie.

D'abord qu'elle fut à Blois, où la cour était alors, M. de Nemours ne put s'empêcher d'avoir de la joie de savoir qu'elle était dans le même lieu que lui. Il essaya de la voir et alla tous les jours chez M. de Clèves, sur le prétexte de savoir de ses nou-545 velles ; mais ce fut inutilement. Elle ne sortait point de la chambre de son mari et avait une douleur violente de l'état où elle le voyait. M. de Nemours était désespéré qu'elle fût si affligée ; il jugeait aisément combien cette affliction renouvelait l'amitié qu'elle avait pour M. de Clèves, et combien cette amitié faisait une 550 diversion dangereuse à la passion qu'elle avait dans le cœur. Ce sentiment lui donna un chagrin mortel pendant quelque temps ; mais l'extrémité du mal de M. de Clèves lui ouvrit de nouvelles

---

1. *Accidents* : complications.

érances. Il vit que Mme de Clèves serait peut-être en liberté de
suivre son inclination et qu'il pourrait trouver dans l'avenir une
555 suite de bonheur et de plaisirs durables. Il ne pouvait soutenir
cette pensée, tant elle lui donnait de trouble et de transports, et
il en éloignait son esprit par la crainte de se trouver trop malheureux s'il venait à perdre ses espérances.

Cependant M. de Clèves était presque abandonné des méde-
560 cins. Un des derniers jours de son mal, après avoir passé une nuit
très fâcheuse, il dit sur le matin qu'il voulait reposer. Mme de
Clèves demeura seule dans sa chambre. Il lui parut qu'au lieu de
reposer, il avait beaucoup d'inquiétude. Elle s'approcha et se vint
mettre à genoux devant son lit, le visage tout couvert de larmes.
565 M. de Clèves avait résolu de ne lui point témoigner le violent
chagrin qu'il avait contre elle ; mais les soins qu'elle lui rendait,
et son affliction, qui lui paraissait quelquefois véritable et qu'il
regardait aussi quelquefois comme des marques de dissimulation
et de perfidie, lui causaient des sentiments si opposés et si dou-
570 loureux qu'il ne les put renfermer en lui-même.

«Vous versez bien des pleurs, Madame, lui dit-il, pour une
mort que vous causez et qui ne vous peut donner la douleur
que vous faites paraître. Je ne suis plus en état de vous faire des
reproches, continua-t-il avec une voix affaiblie par la maladie et
575 par la douleur ; mais je meurs du cruel déplaisir que vous m'avez
donné. Fallait-il qu'une action aussi extraordinaire que celle que
vous aviez faite de me parler à Coulommiers eût si peu de suite ?
Pourquoi m'éclairer sur la passion que vous aviez pour M. de
Nemours, si votre vertu n'avait pas plus d'étendue pour y résis-
580 ter ? Je vous aimais jusqu'à être bien aise d'être trompé, je l'avoue
à ma honte ; j'ai regretté ce faux repos dont vous m'avez tiré. Que
ne me laissiez-vous dans cet aveuglement tranquille dont jouis-
sent tant de maris ? J'eusse, peut-être, ignoré toute ma vie que
vous aimiez M. de Nemours. Je mourrai, ajouta-t-il ; mais sachez
585 que vous me rendez la mort agréable, et qu'après m'avoir ôté l'estime et la tendresse que j'avais pour vous, la vie me ferait horreur.

Que ferais-je de la vie, reprit-il, pour la passer avec une personne que j'ai tant aimée, et dont j'ai été si cruellement trompé, ou pour vivre séparé de cette même personne, et en venir à un éclat
590 et à des violences si opposées à mon humeur et à la passion que j'avais pour vous ? Elle a été au-delà de ce que vous en avez vu, Madame ; je vous en ai caché la plus grande partie, par la crainte de vous importuner, ou de perdre quelque chose de votre estime, par des manières qui ne convenaient pas à un mari. Enfin je méri-
595 tais votre cœur ; encore une fois, je meurs sans regret, puisque je n'ai pu l'avoir, et que je ne puis plus le désirer. Adieu, Madame, vous regretterez quelque jour un homme qui vous aimait d'une passion véritable et légitime. Vous sentirez le chagrin que trouvent les personnes raisonnables dans ces engagements, et vous connaî-
600 trez la différence d'être aimée comme je vous aimais, à l'être par des gens qui, en vous témoignant de l'amour, ne cherchent que l'honneur de vous séduire. Mais ma mort vous laissera en liberté, ajouta-t-il, et vous pourrez rendre M. de Nemours heureux, sans qu'il vous en coûte des crimes. Qu'importe, reprit-il, ce qui arri-
605 vera quand je ne serai plus, et faut-il que j'aie la faiblesse d'y jeter les yeux ? »

Mme de Clèves était si éloignée de s'imaginer que son mari pût avoir des soupçons contre elle qu'elle écouta toutes ces paroles sans les comprendre, et sans avoir d'autre idée sinon qu'il lui
610 reprochait son inclination pour M. de Nemours. Enfin, sortant tout d'un coup de son aveuglement :

« Moi, des crimes ! s'écria-t-elle ; la pensée même m'en est inconnue. La vertu la plus austère ne peut inspirer d'autre conduite que celle que j'ai eue ; et je n'ai jamais fait d'action dont
615 je n'eusse souhaité que vous eussiez été témoin.

– Eussiez-vous souhaité, répliqua M. de Clèves, en la regardant avec dédain, que je l'eusse été des nuits que vous avez passées avec M. de Nemours ? Ah ! Madame, est-ce de vous dont je parle, quand je parle d'une femme qui a passé des nuits avec un
620 homme ?

– Non, Monsieur, reprit-elle ; non, ce n'est pas de moi dont vous parlez. Je n'ai jamais passé ni de nuits ni de moments avec M. de Nemours. Il ne m'a jamais vue en particulier ; je ne l'ai jamais souffert, ni écouté, et j'en ferais tous les serments…

625 – N'en dites pas davantage, interrompit M. de Clèves ; de faux serments ou un aveu me feraient peut-être une égale peine. »

Mme de Clèves ne pouvait répondre ; ses larmes et sa douleur lui ôtaient la parole ; enfin, faisant un effort :

« Regardez-moi du moins ; écoutez-moi, lui dit-elle. S'il n'y
630 allait que de mon intérêt, je souffrirais ces reproches ; mais il y va de votre vie. Écoutez-moi, pour l'amour de vous-même : il est impossible qu'avec tant de vérité, je ne vous persuade mon innocence.

– Plût à Dieu que vous me la puissiez persuader ! s'écria-t-il ;
635 mais que me pouvez-vous dire ? M. de Nemours n'a-t-il pas été à Coulommiers avec sa sœur ? Et n'avait-il pas passé les deux nuits précédentes avec vous dans le jardin de la forêt ?

– Si c'est là mon crime, répliqua-t-elle, il m'est aisé de me justifier. Je ne vous demande point de me croire ; mais croyez
640 tous vos domestiques, et sachez si j'allai dans le jardin de la forêt la veille que M. de Nemours vint à Coulommiers, et si je n'en sortis pas le soir d'auparavant deux heures plus tôt que je n'avais accoutumé. »

Elle lui conta ensuite comme elle avait cru voir quelqu'un
645 dans ce jardin. Elle lui avoua qu'elle avait cru que c'était M. de Nemours. Elle lui parla avec tant d'assurance, et la vérité se persuade si aisément lors même qu'elle n'est pas vraisemblable que M. de Clèves fut presque convaincu de son innocence.

« Je ne sais, lui dit-il, si je me dois laisser aller à vous croire. Je
650 me sens si proche de la mort que je ne veux rien voir de ce qui me pourrait faire regretter la vie. Vous m'avez éclairci trop tard ; mais ce me sera toujours un soulagement d'emporter la pensée que vous êtes digne de l'estime que j'aie eue pour vous. Je vous prie que je puisse encore avoir la consolation de croire que ma mémoire vous

655 sera chère et que, s'il eût dépendu de vous, vous eussiez eu pour
moi les sentiments que vous avez pour un autre.»

Il voulut continuer ; mais une faiblesse lui ôta la parole.
Mme de Clèves fit venir les médecins ; ils le trouvèrent presque
sans vie. Il languit néanmoins encore quelques jours et mourut
660 enfin avec une constance admirable.

Mme de Clèves demeura dans une affliction si violente qu'elle
perdit quasi l'usage de la raison. La reine la vint voir avec soin[1]
et la mena dans un couvent, sans qu'elle sût où on la conduisait.
Ses belles-sœurs la ramenèrent à Paris qu'elle n'était pas encore
665 en état de sentir distinctement sa douleur. Quand elle commença
d'avoir la force de l'envisager et qu'elle vit quel mari elle avait
perdu, qu'elle considéra qu'elle était la cause de sa mort, et que
c'était par la passion qu'elle avait eue pour un autre qu'elle en
était cause, l'horreur qu'elle eut pour elle-même et pour M. de
670 Nemours ne se peut représenter.

Ce prince n'osa, dans ces commencements, lui rendre d'autres
soins que ceux que lui ordonnait la bienséance. Il connaissait
assez Mme de Clèves pour croire qu'un plus grand empressement
lui serait désagréable. Mais ce qu'il apprit ensuite lui fit bien voir
675 qu'il devait avoir longtemps la même conduite.

Un écuyer qu'il avait lui conta que le gentilhomme de M. de
Clèves, qui était son ami intime, lui avait dit, dans sa douleur
de la perte de son maître, que le voyage de M. de Nemours à
Coulommiers était cause de sa mort. M. de Nemours fut extrê-
680 mement surpris de ce discours ; mais après y avoir fait réflexion,
il devina une partie de la vérité, et il jugea bien quels seraient
d'abord les sentiments de Mme de Clèves et quel éloignement
elle aurait de lui, si elle croyait que le mal de son mari eût été
causé par la jalousie. Il crut qu'il ne fallait pas même la faire sitôt
685 souvenir de son nom ; et il suivit cette conduite, quelque pénible
qu'elle lui parût.

----

1. *Avec soin* : régulièrement.

Il fit un voyage à Paris et ne put s'empêcher néanmoins d'aller à sa porte pour apprendre de ses nouvelles. On lui dit que personne ne la voyait et qu'elle avait même défendu qu'on lui rendît compte de ceux qui l'iraient chercher. Peut-être que ces ordres si exacts étaient donnés en vue de ce prince, et pour ne point entendre parler de lui. M. de Nemours était trop amoureux pour pouvoir vivre si absolument privé de la vue de Mme de Clèves. Il résolut de trouver des moyens, quelque difficiles qu'ils pussent être, de sortir d'un état qui lui paraissait si insupportable.

La douleur de cette princesse passait les bornes de la raison. Ce mari mourant, et mourant à cause d'elle et avec tant de tendresse pour elle, ne lui sortait point de l'esprit. Elle repassait incessamment tout ce qu'elle lui devait, et elle se faisait un crime de n'avoir pas eu de la passion pour lui, comme si c'eût été une chose qui eût été en son pouvoir. Elle ne trouvait de consolation qu'à penser qu'elle le regrettait autant qu'il méritait d'être regretté et qu'elle ne ferait dans le reste de sa vie que ce qu'il aurait été bien aise qu'elle eût fait s'il avait vécu.

Elle avait pensé plusieurs fois comment il avait su que M. de Nemours était venu à Coulommiers. Elle ne soupçonnait pas ce prince de l'avoir conté, et il lui paraissait même indifférent qu'il l'eût redit, tant elle se croyait guérie et éloignée de la passion qu'elle avait eue pour lui. Elle sentait néanmoins une douleur vive de s'imaginer qu'il était cause de la mort de son mari, et elle se souvenait avec peine de la crainte que M. de Clèves lui avait témoignée en mourant qu'elle ne l'épousât. Mais toutes ces douleurs se confondaient dans celle de la perte de son mari, et elle croyait n'en avoir point d'autre.

Après que plusieurs mois furent passés, elle sortit de cette violente affliction où elle était, et passa dans un état de tristesse et de langueur. Mme de Martigues fit un voyage à Paris, et la vit avec soin pendant le séjour qu'elle y fit. Elle l'entretint de la cour et de tout ce qui s'y passait ; et, quoique Mme de Clèves ne parût pas y prendre intérêt, Mme de Martigues ne laissait pas de lui en parler pour la divertir.

Elle lui conta des nouvelles du vidame, de M. de Guise et de tous les autres qui étaient distingués par leur personne ou par 725 leur mérite.

«Pour M. de Nemours, dit-elle, je ne sais si les affaires ont pris dans son cœur la place de la galanterie ; mais il a bien moins de joie qu'il n'avait accoutumé d'en avoir, il paraît fort retiré du commerce des femmes. Il fait souvent des voyages à Paris, et je 730 crois même qu'il y est présentement.»

Le nom de M. de Nemours surprit Mme de Clèves, et la fit rougir. Elle changea de discours, et Mme de Martigues ne s'aperçut point de son trouble.

Le lendemain, cette princesse, qui cherchait des occupations 735 conformes à l'état où elle était, alla proche de chez elle voir un homme qui faisait des ouvrages de soie d'une façon particulière ; et elle y fut dans le dessein d'en faire faire de semblables. Après qu'on les lui eut montrés, elle vit la porte d'une chambre où elle crut qu'il y en avait encore ; elle dit qu'on la lui ouvrît. Le maître 740 répondit qu'il n'en avait pas la clef, et qu'elle était occupée par un homme qui y venait quelquefois pendant le jour pour dessiner de belles maisons et des jardins que l'on voyait de ses fenêtres.

«C'est l'homme du monde le mieux fait, ajouta-t-il ; il n'a guère la mine d'être réduit à gagner sa vie. Toutes les fois qu'il 745 vient céans [1], je le vois toujours regarder les maisons et les jardins ; mais je ne le vois jamais travailler.»

Mme de Clèves écoutait ce discours avec une grande attention. Ce que lui avait dit Mme de Martigues, que M. de Nemours était quelquefois à Paris, se joignit dans son imagination à cet homme 750 bien fait qui venait proche de chez elle, et lui fit une idée de M. de Nemours, et de M. de Nemours appliqué à la voir, qui lui donna un trouble confus, dont elle ne savait pas même la cause. Elle alla

---

1. *Céans* : en ce lieu.

vers les fenêtres pour voir où elles donnaient ; elle trouva qu'elles
voyaient tout son jardin et la face de son appartement. Et, lors-
755 qu'elle fut dans sa chambre, elle remarqua aisément cette même
fenêtre où l'on lui avait dit que venait cet homme. La pensée que
c'était M. de Nemours changea entièrement la situation de son
esprit ; elle ne se trouva plus dans un certain triste repos qu'elle
commençait à goûter, elle se sentit inquiète et agitée. Enfin, ne
760 pouvant demeurer avec elle-même, elle sortit, et alla prendre l'air
dans un jardin hors des faubourgs, où elle pensait être seule.
Elle crut en y arrivant qu'elle ne s'était pas trompée ; elle ne vit
aucune apparence qu'il y eût quelqu'un, et elle se promena assez
longtemps.
765   Après avoir traversé un petit bois, elle aperçut au bout d'une
allée, dans l'endroit le plus reculé du jardin, une manière de cabinet ouvert de tous côtés, où elle adressa ses pas. Comme elle en
fut proche, elle vit un homme couché sur des bancs, qui paraissait
enseveli dans une rêverie profonde, et elle reconnut que c'était
770 M. de Nemours. Cette vue l'arrêta tout court. Mais ses gens qui
la suivaient firent quelque bruit, qui tira M. de Nemours de sa
rêverie. Sans regarder qui avait causé le bruit qu'il avait entendu,
il se leva de sa place pour éviter la compagnie qui venait vers lui,
et tourna dans une autre allée, en faisant une révérence fort basse,
775 qui l'empêcha même de voir ceux qu'il saluait.
    S'il eût su ce qu'il évitait, avec quelle ardeur serait-il retourné
sur ses pas ! Mais il continua à suivre l'allée, et Mme de Clèves
le vit sortir par une porte de derrière où l'attendait son carrosse.
Quel effet produisit cette vue d'un moment dans le cœur de
780 Mme de Clèves ! Quelle passion endormie se ralluma dans son
cœur, et avec quelle violence ! Elle s'alla asseoir dans le même
endroit d'où venait de sortir M. de Nemours ; elle y demeura
comme accablée. Ce prince se présenta à son esprit, aimable au-
dessus de tout ce qui était au monde, l'aimant depuis longtemps
785 avec une passion pleine de respect et de fidélité, méprisant tout
pour elle, respectant même jusqu'à sa douleur, songeant à la voir

sans songer à en être vu, quittant la cour, dont il faisait les délices, pour aller regarder les murailles qui la refermaient, pour venir rêver dans des lieux où il ne pouvait prétendre de la rencontrer ; enfin un homme digne d'être aimé par son seul attachement, et pour qui elle avait une inclination si violente qu'elle l'aurait aimé quand il ne l'aurait pas aimée ; mais, de plus, un homme d'une qualité élevée et convenable à la sienne. Plus de devoir, plus de vertu qui s'opposassent à ses sentiments ; tous les obstacles étaient levés, et il ne restait de leur état passé que la passion de M. de Nemours pour elle et que celle qu'elle avait pour lui.

Toutes ces idées furent nouvelles à cette princesse. L'affliction de la mort de M. de Clèves l'avait assez occupée pour avoir empêché qu'elle n'y eût jeté les yeux. La présence de M. de Nemours les amena en foule dans son esprit ; mais, quand il en eut été pleinement rempli et qu'elle se souvint aussi que ce même homme, qu'elle regardait comme pouvant l'épouser, était celui qu'elle avait aimé du vivant de son mari, et qui était la cause de sa mort ; que même, en mourant, il lui avait témoigné de la crainte qu'elle ne l'épousât, son austère vertu était si blessée de cette imagination qu'elle ne trouvait guère moins de crime à épouser M. de Nemours qu'elle en avait trouvé à l'aimer pendant la vie de son mari. Elle s'abandonna à ces réflexions si contraires à son bonheur ; elle les fortifia encore de plusieurs raisons qui regardaient son repos, et les maux qu'elle prévoyait en épousant ce prince. Enfin, après avoir demeuré deux heures dans le lieu où elle était, elle s'en revint chez elle, persuadée qu'elle devait fuir sa vue comme une chose entièrement opposée à son devoir.

Mais cette persuasion, qui était un effet de sa raison et de sa vertu, n'entraînait pas son cœur. Il demeurait attaché à M. de Nemours avec une violence qui la mettait dans un état digne de compassion, et qui ne lui laissa plus de repos. Elle passa une des plus cruelles nuits qu'elle eût jamais passées. Le matin, son premier mouvement fut d'aller voir s'il n'y aurait personne à la fenêtre qui donnait chez elle ; elle y alla, elle y vit M. de Nemours.

Cette vue la surprit, et elle se retira avec une promptitude qui fit juger à ce prince qu'il avait été reconnu. Il avait souvent désiré de l'être, depuis que sa passion lui avait fait trouver ces moyens de voir Mme de Clèves ; et, lorsqu'il n'espérait pas d'avoir ce plaisir, 825 il allait rêver dans le même jardin où elle l'avait trouvé.

Lassé enfin d'un état si malheureux et si incertain, il résolut de tenter quelque voie[1] d'éclaircir sa destinée. «Que veux-je attendre ? disait-il ; il y a longtemps que je sais que j'en suis aimé ; elle est libre, elle n'a plus de devoir à m'opposer ; pourquoi me 830 réduire à la voir sans en être vu et sans lui parler ? Est-il possible que l'amour m'ait si absolument ôté la raison et la hardiesse, et qu'il m'ait rendu si différent de ce que j'ai été dans les autres passions de ma vie ? J'ai dû respecter la douleur de Mme de Clèves ; mais je la respecte trop longtemps et je lui donne le loisir d'étein-835 dre l'inclination qu'elle a pour moi.»

Après ces réflexions, il songea aux moyens dont il devait se servir pour la voir. Il crut qu'il n'y avait plus rien qui l'obligeât à cacher sa passion au vidame de Chartres. Il résolut de lui en parler, et de lui dire le dessein qu'il avait pour sa nièce.

840 Le vidame était alors à Paris : tout le monde y était venu donner ordre à son équipage et à ses habits, pour suivre le roi qui devait conduire la reine d'Espagne. M. de Nemours alla donc chez le vidame et lui fit un aveu sincère de tout ce qu'il lui avait caché jusqu'alors, à la réserve des[2] sentiments de Mme de Clèves, 845 dont il ne voulut pas paraître instruit.

Le vidame reçut tout ce qu'il lui dit avec beaucoup de joie et l'assura que, sans savoir ses sentiments, il avait souvent pensé, depuis que Mme de Clèves était veuve, qu'elle était la seule personne digne de lui. M. de Nemours le pria de lui donner les 850 moyens de lui parler, et de savoir quelles étaient ses dispositions.

---

1. **Voie** : moyen.
2. **À la réserve des** : à l'exception des.

Le vidame lui proposa de le mener chez elle. Mais M. de Nemours crut qu'elle en serait choquée, parce qu'elle ne voyait encore personne. Ils trouvèrent qu'il fallait que M. le vidame la priât de venir chez lui, sur quelque prétexte, et que M. de Nemours y vînt par un escalier dérobé, afin de n'être vu de personne. Cela s'exécuta comme ils l'avaient résolu : Mme de Clèves vint, le vidame l'alla recevoir et la conduisit dans un grand cabinet, au bout de son appartement. Quelque temps après, M. de Nemours entra, comme si le hasard l'eût conduit. Mme de Clèves fut extrêmement surprise de le voir ; elle rougit, et essaya de cacher sa rougeur. Le vidame parla d'abord de choses différentes et sortit, supposant qu'il avait quelque ordre à donner. Il dit à Mme de Clèves qu'il la priait de faire les honneurs de chez lui et qu'il allait rentrer dans un moment.

L'on ne peut exprimer ce que sentirent M. de Nemours et Mme de Clèves de se trouver seuls et en état de se parler pour la première fois. Ils demeurèrent quelque temps sans rien dire ; enfin, M. de Nemours rompant le silence :

«Pardonnerez-vous à M. de Chartres, Madame, lui dit-il, de m'avoir donné l'occasion de vous voir et de vous entretenir, que vous m'avez toujours si cruellement ôtée ?

– Je ne lui dois pas pardonner, répondit-elle, d'avoir oublié l'état où je suis et à quoi il expose ma réputation.»

En prononçant ces paroles, elle voulut s'en aller ; et M. de Nemours, la retenant :

«Ne craignez rien, Madame, répliqua-t-il, personne ne sait que je suis ici et aucun hasard n'est à craindre. Écoutez-moi, Madame, écoutez-moi ; si ce n'est par bonté, que ce soit du moins pour l'amour de vous-même, et pour vous délivrer des extravagances où m'emporterait infailliblement une passion dont je ne suis plus le maître.»

Mme de Clèves céda pour la première fois au penchant qu'elle avait pour M. de Nemours et, le regardant avec des yeux pleins de douceur et de charmes :

«Mais qu'espérez-vous, lui dit-elle, de la complaisance que vous me demandez ? Vous vous repentirez, peut-être, de l'avoir obtenue, et je me repentirai infailliblement de vous l'avoir accordée. Vous méritez une destinée plus heureuse que celle que vous avez eue jusques ici, et que celle que vous pouvez trouver à l'avenir, à moins que vous ne la cherchiez ailleurs !

– Moi, Madame, lui dit-il, chercher du bonheur ailleurs ! Et y en a-t-il d'autre que d'être aimé de vous ? Quoique je ne vous aie jamais parlé, je ne saurais croire, Madame, que vous ignoriez ma passion, et que vous ne la connaissiez pour la plus véritable et la plus violente qui sera jamais. À quelle épreuve a-t-elle été par des choses qui vous sont inconnues ? Et à quelle épreuve l'avez-vous mise par vos rigueurs[1] ?

– Puisque vous voulez que je vous parle et que je m'y résous, répondit Mme de Clèves en s'asseyant, je le ferai avec une sincérité que vous trouverez malaisément dans les personnes de mon sexe. Je ne vous dirai point que je n'ai pas vu l'attachement que vous avez eu pour moi ; peut-être ne me croiriez-vous pas quand je vous le dirais. Je vous avoue donc, non seulement que je l'ai vu, mais que je l'ai vu tel que vous pouvez souhaiter qu'il m'ait paru.

– Et si vous l'avez vu, Madame, interrompit-il, est-il possible que vous n'en ayez point été touchée ? Et oserais-je vous demander s'il n'a fait aucune impression dans votre cœur ?

– Vous en avez dû juger par ma conduite, lui répliqua-t-elle ; mais je voudrais bien savoir ce que vous en avez pensé.

– Il faudrait que je fusse dans un état plus heureux pour vous l'oser dire, répondit-il ; et ma destinée a trop peu de rapport à ce que je vous dirais. Tout ce que je puis vous apprendre, Madame, c'est que j'ai souhaité ardemment que vous n'eussiez pas avoué à M. de Clèves ce que vous me cachiez et que vous lui eussiez caché ce que vous m'eussiez laissé voir…

---

1. *Rigueurs* : froideurs.

– Comment avez-vous pu découvrir, reprit-elle en rougissant, que j'aie avoué quelque chose à M. de Clèves ?

920 – Je l'ai su par vous-même, Madame, répondit-il ; mais, pour me pardonner la hardiesse[1] que j'ai eue de vous écouter, souvenez-vous si j'ai abusé de ce que j'ai entendu, si mes espérances en ont augmenté, et si j'ai eu plus de hardiesse à vous parler ? »

Il commença à lui conter comme il avait entendu sa conver-
925 sation avec M. de Clèves ; mais elle l'interrompit avant qu'il eût achevé.

«Ne m'en dites pas davantage, lui dit-elle ; je vois présentement par où vous avez été si bien instruit. Vous ne me le parûtes déjà que trop chez Mme la dauphine, qui avait su cette aventure
930 par ceux à qui vous l'aviez confiée.»

M. de Nemours lui apprit alors de quelle sorte la chose était arrivée.

«Ne vous excusez point, reprit-elle ; il y a longtemps que je vous ai pardonné sans que vous m'ayez dit de raison. Mais puis-
935 que vous avez appris par moi-même ce que j'avais eu dessein de vous cacher toute ma vie, je vous avoue que vous m'avez inspiré des sentiments qui m'étaient inconnus devant que de vous avoir vu, et dont j'avais même si peu d'idée, qu'ils me donnèrent d'abord une surprise qui augmentait encore le trouble qui les suit
940 toujours. Je vous fais cet aveu avec moins de honte, parce que je le fais dans un temps où je le puis faire sans crime et que vous avez vu que ma conduite n'a pas été réglée par mes sentiments.

– Croyez-vous, Madame, lui dit M. de Nemours, en se jetant à ses genoux, que je n'expire pas à vos pieds de joie et de transport ?

945 – Je ne vous apprends, lui répondit-elle en souriant, que ce que vous ne saviez déjà que trop.

– Ah ! Madame, répliqua-t-il, quelle différence de le savoir par un effet du hasard ou de l'apprendre par vous-même, et de voir que vous voulez bien que je le sache !

---

1. *Hardiesse* : audace.

950   – Il est vrai, lui dit-elle, que je veux bien que vous le sachiez, et que je trouve de la douceur à vous le dire. Je ne sais même si je ne vous le dis point plus pour l'amour de moi que pour l'amour de vous. Car enfin, cet aveu n'aura point de suite, et je suivrai les règles austères que mon devoir m'impose.

955   – Vous n'y songez pas, Madame, répondit M. de Nemours ; il n'y a plus de devoir qui vous lie, vous êtes en liberté ; et, si j'osais, je vous dirais même qu'il dépend de vous de faire en sorte que votre devoir vous oblige un jour à conserver les sentiments que vous avez pour moi.

960   – Mon devoir, répliqua-t-elle, me défend de penser jamais à personne, et moins à vous qu'à qui que ce soit au monde, par des raisons qui vous sont inconnues.

       – Elles ne me le sont peut-être pas, Madame, reprit-il ; mais ce ne sont point de véritables raisons. Je crois savoir que M. de
965 Clèves m'a cru plus heureux que je n'étais, et qu'il s'est imaginé que vous aviez approuvé des extravagances que la passion m'a fait entreprendre sans votre aveu.

       – Ne parlons point de cette aventure, lui dit-elle, je n'en sau-rais soutenir la pensée ; elle me fait honte, et elle m'est aussi
970 trop douloureuse par les suites qu'elle a eues. Il n'est que trop véritable que vous êtes cause de la mort de M. de Clèves. Les soupçons que lui a donnés votre conduite inconsidérée lui ont coûté la vie, comme si vous la lui aviez ôtée de vos propres mains. Voyez ce que je devrais faire, si vous en étiez venus ensemble à ces
975 extrémités, et que le même malheur en fût arrivé. Je sais bien que ce n'est pas la même chose à l'égard du monde ; mais au mien il n'y a aucune différence, puisque je sais que c'est par vous qu'il est mort, et que c'est à cause de moi.

       – Ah ! Madame, lui dit M. de Nemours, quel fantôme de
980 devoir opposez-vous à mon bonheur ? Quoi ! Madame, une pen-sée vaine et sans fondement vous empêchera de rendre heureux un homme que vous ne haïssez pas ? Quoi ! j'aurais pu concevoir l'espérance de passer ma vie avec vous ; ma destinée m'aurait

conduit à aimer la plus estimable personne du monde ; j'aurais
vu en elle tout ce qui peut faire une adorable maîtresse ; elle ne
m'aurait pas haï et je n'aurais trouvé dans sa conduite que tout
ce qui peut être à désirer dans une femme. Car enfin, Madame,
vous êtes peut-être la seule personne en qui ces deux choses se
soient jamais trouvées au degré qu'elles sont en vous. Tous ceux
qui épousent des maîtresses dont ils sont aimés tremblent en les
épousant, et regardent avec crainte, par rapport aux autres, la
conduite qu'elles ont eue avec eux. Mais en vous, Madame, rien
n'est à craindre, et on ne trouve que des sujets d'admiration.
N'aurais-je envisagé, dis-je, une si grande félicité, que pour vous
y voir apporter vous-même des obstacles ? Ah ! Madame, vous
oubliez que vous m'avez distingué du reste des hommes, ou plutôt vous ne m'en avez jamais distingué : vous vous êtes trompée
et je me suis flatté [1].

– Vous ne vous êtes point flatté, lui répondit-elle ; les raisons
de mon devoir ne me paraîtraient peut-être pas si fortes sans
cette distinction dont vous vous doutez, et c'est elle qui me fait
envisager des malheurs à m'attacher à vous.

– Je n'ai rien à répondre, Madame, reprit-il, quand vous me
faites voir que vous craignez des malheurs ; mais je vous avoue
qu'après tout ce que vous avez bien voulu me dire, je ne m'attendais pas à trouver une si cruelle raison.

– Elle est si peu offensante pour vous, reprit Mme de Clèves,
que j'ai même beaucoup de peine à vous l'apprendre.

– Hélas ! Madame, répliqua-t-il, que pouvez-vous craindre qui
me flatte trop, après ce que vous venez de me dire ?

– Je veux vous parler encore avec la même sincérité que j'ai
déjà commencé, reprit-elle, et je vais passer par-dessus toute la
retenue et toutes les délicatesses que je devrais avoir dans une
première conversation ; mais je vous conjure de m'écouter sans
m'interrompre.

---

1. *Je me suis flatté* : j'ai été orgueilleux.

«Je crois devoir à votre attachement la faible récompense de ne vous cacher aucun de mes sentiments, et de vous les laisser voir tels qu'ils sont. Ce sera apparemment la seule fois de ma vie que je me donnerai la liberté de vous les faire paraître ; néanmoins je ne saurais vous avouer sans honte que la certitude de n'être plus aimée de vous comme je le suis me paraît un si horrible malheur que, quand je n'aurais point des raisons de devoir insurmontables, je doute si je pourrais me résoudre à m'exposer à ce malheur. Je sais que vous êtes libre, que je le suis, et que les choses sont d'une sorte que le public n'aurait peut-être pas sujet de vous blâmer, ni moi non plus, quand nous nous engagerions ensemble pour jamais. Mais les hommes conservent-ils de la passion dans ces engagements éternels [1] ? Dois-je espérer un miracle en ma faveur et puis-je me mettre en état de voir certainement finir cette passion dont je ferais toute ma félicité ? M. de Clèves était peut-être l'unique homme du monde capable de conserver de l'amour dans le mariage. Ma destinée n'a pas voulu que j'aie pu profiter de ce bonheur ; peut-être aussi que sa passion n'avait subsisté que parce qu'il n'en aurait pas trouvé en moi. Mais je n'aurais pas le même moyen de conserver la vôtre : je crois même que les obstacles ont fait votre constance. Vous en avez assez trouvé pour vous animer à vaincre ; et mes actions involontaires, ou les choses que le hasard vous a apprises, vous ont donné assez d'espérance pour ne vous pas rebuter.

– Ah ! Madame, reprit M. de Nemours, je ne saurais garder le silence que vous m'imposez : vous me faites trop d'injustice et vous me faites trop voir combien vous êtes éloignée d'être prévenue en ma faveur.

– J'avoue, répondit-elle, que les passions peuvent me conduire ; mais elles ne sauraient m'aveugler. Rien ne me peut empêcher de connaître que vous êtes né avec toutes les dispositions pour la

---

1. Il s'agit d'une préoccupation essentielle des précieuses, qui redoutaient que l'amour s'affadisse et diminue avec le temps.

galanterie et toutes les qualités qui sont propres à y donner des succès heureux. Vous avez déjà eu plusieurs passions ; vous en auriez encore ; je ne ferais plus votre bonheur ; je vous verrais pour une autre comme vous auriez été pour moi. J'en aurais une douleur mortelle, et je ne serais pas même assurée de n'avoir point le malheur de la jalousie. Je vous en ai trop dit pour vous cacher que vous me l'avez fait connaître et que je souffris de si cruelles peines le soir que la reine me donna cette lettre de Mme de Thémines, que l'on disait qui s'adressait à vous, qu'il m'en est demeuré une idée qui me fait croire que c'est le plus grand de tous les maux.

« Par vanité ou par goût, toutes les femmes souhaitent de vous attacher. Il y en a peu à qui vous ne plaisiez ; mon expérience me ferait croire qu'il n'y en a point à qui vous ne puissiez plaire. Je vous croirais toujours amoureux et aimé, et je ne me tromperais pas souvent. Dans cet état néanmoins, je n'aurais d'autre parti à prendre que celui de la souffrance ; je ne sais même si j'oserais me plaindre. On fait des reproches à un amant ; mais en fait-on à un mari, quand on n'a à lui reprocher que de n'avoir plus d'amour ? Quand je pourrais m'accoutumer à cette sorte de malheur, pour-rais-je m'accoutumer à celui de croire voir toujours M. de Clèves vous accuser de sa mort ; me reprocher de vous avoir aimé, de vous avoir épousé et me faire sentir la différence de son attachement au vôtre ? Il est impossible, continua-t-elle, de passer par-dessus des raisons si fortes : il faut que je demeure dans l'état où je suis et dans les résolutions que j'ai prises de n'en sortir jamais.

– Hé ! croyez-vous le pouvoir, madame ? s'écria M. de Nemours. Pensez-vous que vos résolutions tiennent contre un homme qui vous adore et qui est assez heureux pour vous plaire ? Il est plus difficile que vous ne pensez, madame, de résister à ce qui nous plaît et à ce qui nous aime. Vous l'avez fait par une vertu austère, qui n'a presque point d'exemple. Mais cette vertu ne s'oppose plus à vos sentiments et j'espère que vous les suivrez malgré vous.

– Je sais bien qu'il n'y a rien de plus difficile que ce que j'entreprends, répliqua Mme de Clèves; je me défie de mes forces au milieu de mes raisons. Ce que je crois devoir à la mémoire de M. de Clèves serait faible s'il n'était soutenu par l'intérêt de mon repos; et les raisons de mon repos ont besoin d'être soutenues de celles de mon devoir. Mais, quoique je me défie de moi-même, je crois que je ne vaincrai jamais mes scrupules, et je n'espère pas aussi de surmonter l'inclination que j'ai pour vous. Elle me rendra malheureuse et je me priverai de votre vue, quelque violence qu'il m'en coûte. Je vous conjure, par tout le pouvoir que j'ai sur vous, de ne chercher aucune occasion de me voir. Je suis dans un état qui me fait des crimes de tout ce qui pourrait être permis dans un autre temps, et la seule bienséance [1] interdit tout commerce [2] entre nous.»

M. de Nemours se jeta à ses pieds, et s'abandonna à tous les divers mouvements dont il était agité. Il lui fit voir, et par ses paroles et par ses pleurs, la plus vive et la plus tendre passion dont un cœur ait jamais été touché. Celui de Mme de Clèves n'était pas insensible et, regardant ce prince avec des yeux un peu grossis par les larmes :

«Pourquoi faut-il, s'écria-t-elle, que je vous puisse accuser de la mort de M. de Clèves? Que n'ai-je commencé à vous connaître depuis que je suis libre, ou pourquoi ne vous ai-je pas connu devant que d'être engagée? Pourquoi la destinée nous sépare-t-elle par un obstacle si invincible?

– Il n'y a point d'obstacle, Madame, reprit M. de Nemours. Vous seule vous opposez à mon bonheur; vous seule vous imposez une loi que la vertu et la raison ne vous sauraient imposer.

– Il est vrai, répliqua-t-elle, que je sacrifie beaucoup à un devoir qui ne subsiste que dans mon imagination. Attendez ce que le temps pourra faire. M. de Clèves ne fait encore que d'expirer, et cet objet funeste est trop proche pour me laisser des vues

---

1. *Bienséance* : décence.
2. *Commerce* : relation.

claires et distinctes. Ayez cependant le plaisir de vous être fait aimer d'une personne qui n'aurait rien aimé, si elle ne vous avait jamais vu ; croyez que les sentiments que j'ai pour vous seront
1115 éternels et qu'ils subsisteront également, quoi que je fasse. Adieu, lui dit-elle ; voici une conversation qui me fait honte : rendez-en compte à M. le vidame ; j'y consens et je vous en prie.»

Elle sortit en disant ces paroles, sans que M. de Nemours pût la retenir. Elle trouva M. le vidame dans la chambre la plus pro-
1120 che. Il la vit si troublée qu'il n'osa lui parler et il la remit en son carrosse sans lui rien dire. Il revint trouver M. de Nemours, qui était si plein de joie, de tristesse, d'étonnement et d'admiration, enfin, de tous les sentiments que peut donner une passion pleine de crainte et d'espérance, qu'il n'avait pas l'usage de la raison.
1125 Le vidame fut longtemps à obtenir qu'il lui rendît compte de sa conversation. Il le fit enfin ; et M. de Chartres, sans être amou-reux, n'eut pas moins d'admiration pour la vertu, l'esprit et le mérite de Mme de Clèves que M. de Nemours en avait lui-même. Ils examinèrent ce que ce prince devait espérer de sa destinée ;
1130 et, quelques craintes que son amour lui pût donner, il demeura d'accord avec M. le vidame qu'il était impossible que Mme de Clèves demeurât dans les résolutions où elle était. Ils convin-rent néanmoins qu'il fallait suivre ses ordres, de crainte que, si le public s'apercevait de l'attachement qu'il avait pour elle, elle
1135 ne fît des déclarations et ne prît des engagements vers le monde qu'elle soutiendrait dans la suite, par la peur qu'on ne crût qu'elle l'eût aimé du vivant de son mari.

M. de Nemours se détermina à suivre le roi. C'était un voyage dont il ne pouvait aussi bien se dispenser et il résolut à s'en aller
1140 sans tenter même de revoir Mme de Clèves du lieu où il l'avait vue quelquefois. Il pria M. le vidame de lui parler. Que ne lui dit-il point pour lui dire [1] ? Quel nombre infini de raisons pour

---

1. *Que ne lui dit-il point pour lui dire ?* : que ne lui recommanda-t-il point de lui dire ?

la persuader de vaincre ses scrupules ! Enfin, une partie de la nuit était passée devant que M. de Nemours songeât à le laisser en repos.

Mme de Clèves n'était pas en état d'en trouver : ce lui était une chose si nouvelle d'être sortie de cette contrainte qu'elle s'était imposée, d'avoir souffert, pour la première fois de sa vie, qu'on lui dît qu'on était amoureux d'elle, et d'avoir dit elle-même qu'elle aimait, qu'elle ne se connaissait plus. Elle fut étonnée de ce qu'elle avait fait ; elle s'en repentit ; elle en eut de la joie : tous ses sentiments étaient pleins de trouble et de passion. Elle examina encore les raisons de son devoir, qui s'opposaient à son bonheur. Elle sentit de la douleur de les trouver si fortes et elle se repentit de les avoir si bien montrées à M. de Nemours. Quoique la pensée de l'épouser lui fût venue dans l'esprit sitôt qu'elle l'avait revu dans ce jardin, elle ne lui avait pas fait la même impression que venait de faire la conversation qu'elle avait eue avec lui ; et il y avait des moments où elle avait de la peine à comprendre qu'elle pût être malheureuse en l'épousant. Elle eût bien voulu se pouvoir dire qu'elle était mal fondée, et dans ses scrupules du passé, et dans ses craintes de l'avenir. La raison et son devoir lui montraient, dans d'autres moments, des choses tout opposées, qui l'emportaient rapidement à la résolution de ne se point remarier, et de ne voir jamais M. de Nemours. Mais c'était une résolution bien violente à établir dans un cœur aussi touché que le sien, et aussi nouvellement abandonné aux charmes de l'amour. Enfin, pour se donner quelque calme, elle pensa qu'il n'était point encore nécessaire qu'elle se fît la violence de prendre des résolutions ; la bienséance lui donnait un temps considérable à se déterminer. Mais elle résolut de demeurer ferme à n'avoir aucun commerce avec M. de Nemours. Le vidame la vint voir et servit ce prince avec tout l'esprit et l'application [1] imaginables ; il ne la put faire changer sur sa conduite, ni sur celle qu'elle avait

---

1. *Application* : obstination.

imposée à M. de Nemours. Elle lui dit que son dessein était de demeurer dans l'état où elle se trouvait ; qu'elle connaissait que ce dessein était difficile à exécuter ; mais qu'elle espérait d'en avoir la force. Elle lui fit si bien voir à quel point elle était touchée de l'opinion que M. de Nemours avait causé la mort à son mari, et combien elle était persuadée qu'elle ferait une action contre son devoir en l'épousant, que le vidame craignit qu'il ne fût malaisé de lui ôter cette impression. Il ne dit pas à ce prince ce qu'il pensait et, en lui rendant compte de sa conversation, il lui laissa toute l'espérance que la raison doit donner à un homme qui est aimé.

Ils partirent le lendemain et allèrent joindre le roi. M. le vidame écrivit à Mme de Clèves, à la prière de M. de Nemours, pour lui parler de ce prince ; et, dans une seconde lettre qui suivit bientôt la première, M. de Nemours y mit quelques lignes de sa main. Mais Mme de Clèves, qui ne voulait pas sortir des règles qu'elle s'était imposées, et qui craignait les accidents [1] qui peuvent arriver par les lettres, manda au vidame qu'elle ne recevrait plus les siennes, s'il continuait à lui parler de M. de Nemours ; et elle lui manda [2] si fortement que ce prince le pria même de ne le plus nommer.

La cour alla conduire la reine d'Espagne jusqu'en Poitou [3]. Pendant cette absence, Mme de Clèves demeura à elle-même ; et, à mesure qu'elle était éloignée de M. de Nemours et de tout ce qui l'en pouvait faire souvenir, elle rappelait la mémoire de M. de Clèves, qu'elle se faisait un honneur de conserver. Les raisons qu'elle avait de ne point épouser M. de Nemours lui paraissaient fortes du côté de son devoir et insurmontables du côté de son repos. La fin de l'amour de ce prince, et les maux de la jalousie qu'elle croyait infaillibles dans un mariage, lui montraient un

---

1. *Accidents* : malheurs.
2. *Manda* : demanda.
3. Nous sommes en novembre 1559.

1205 malheur certain où elle s'allait jeter. Mais elle voyait aussi qu'elle
entreprenait une chose impossible, que de résister en présence au
plus aimable homme du monde, qu'elle aimait et dont elle était
aimée, et de lui résister sur une chose qui ne choquait ni la vertu,
ni la bienséance. Elle jugea que l'absence seule et l'éloignement
1210 pouvaient lui donner quelque force ; elle trouva qu'elle en avait
besoin, non seulement pour soutenir la résolution de ne se pas
engager, mais même pour se défendre de voir M. de Nemours ;
et elle résolut de faire un assez long voyage, pour passer tout le
temps que la bienséance l'obligeait à vivre dans la retraite. De
1215 grandes terres qu'elle avait vers les Pyrénées lui parurent le lieu
le plus propre qu'elle pût choisir. Elle partit peu de jours avant
que la cour revînt ; et, en partant, elle écrivit à M. le vidame, pour
le conjurer que l'on ne songeât point à avoir de ses nouvelles, ni
à lui écrire.

1220 M. de Nemours fut affligé de ce voyage, comme un autre
l'aurait été de la mort de sa maîtresse. La pensée d'être privé
pour longtemps de la vue de Mme de Clèves lui était une douleur sensible, et surtout dans un temps où il avait senti le plaisir
de la voir, et de la voir touchée de sa passion. Cependant il ne
1225 pouvait faire autre chose que s'affliger, mais son affliction augmenta considérablement. Mme de Clèves, dont l'esprit avait été
si agité, tomba dans une maladie violente sitôt qu'elle fut arrivée
chez elle. Cette nouvelle vint à la cour : M. de Nemours était
inconsolable ; sa douleur allait au désespoir et à l'extravagance[1].
1230 Le vidame eut beaucoup de peine à l'empêcher de faire voir sa
passion au public ; il en eut beaucoup aussi à le retenir, et à lui
ôter le dessein d'aller lui-même apprendre de ses nouvelles. La
parenté et l'amitié de M. le vidame fut un prétexte à y envoyer
plusieurs courriers ; on sut enfin qu'elle était hors de cet extrême
1235 péril où elle avait été ; mais elle demeura dans une maladie de
langueur, qui ne laissait guère d'espérance de sa vie.

---

1. *Extravagance* : folie.

Cette vue si longue et si prochaine de la mort fit paraître à Mme de Clèves les choses de cette vie de cet œil si différent dont on les voit dans la santé. La nécessité de mourir, dont elle se voyait si proche, l'accoutuma à se détacher de toutes choses, et la longueur de sa maladie lui en fit une habitude. Lorsqu'elle revint de cet état, elle trouva néanmoins que M. de Nemours n'était pas effacé de son cœur ; mais elle appela à son secours, pour se défendre contre lui, toutes les raisons qu'elle croyait avoir pour ne l'épouser jamais. Il se passa un assez grand combat en elle-même. Enfin, elle surmonta les restes de cette passion qui était affaiblie par les sentiments que sa maladie lui avait donnés. Les pensées de la mort lui avaient rapproché la mémoire de M. de Clèves. Ce souvenir, qui s'accordait à son devoir, s'imprima fortement dans son cœur. Les passions et les engagements du monde lui parurent tels qu'ils paraissent aux personnes qui ont des vues plus grandes et plus éloignées. Sa santé, qui demeura considérablement affaiblie, lui aida à conserver ses sentiments ; mais comme elle connaissait ce que peuvent les occasions sur les résolutions les plus sages, elle ne voulut pas s'exposer à détruire les siennes, ni revenir dans les lieux où était ce qu'elle avait aimé. Elle se retira, sur le prétexte de changer d'air, dans une maison religieuse, sans faire paraître un dessein arrêté de renoncer à la cour.

À la première nouvelle qu'en eut M. de Nemours, il sentit le poids de cette retraite, et il en vit l'importance. Il crut dans ce moment qu'il n'avait plus rien à espérer. La perte de ses espérances ne l'empêcha pas de mettre tout en usage pour faire revenir Mme de Clèves. Il fit écrire la reine, il fit écrire le vidame, il l'y fit aller ; mais tout fut inutile. Le vidame la vit : elle ne lui dit point qu'elle eût pris de résolution. Il jugea néanmoins qu'elle ne reviendrait jamais. Enfin M. de Nemours y alla lui-même, sur le prétexte d'aller à des bains [1]. Elle fut extrêmement troublée et

---

1. *Aller à des bains* : aller dans une ville dont les eaux ont la réputation de soigner.

surprise d'apprendre sa venue. Elle lui fit dire, par une personne de mérite qu'elle aimait et qu'elle avait alors auprès d'elle, qu'elle le priait de ne pas trouver étrange si elle ne s'exposait point au péril de le voir, et de détruire par sa présence des sentiments qu'elle devait conserver ; qu'elle voulait bien qu'il sût qu'ayant trouvé que son devoir et son repos s'opposaient au penchant qu'elle avait d'être à lui, les autres choses du monde lui avaient paru si indifférentes qu'elle y avait renoncé pour jamais ; qu'elle ne pensait plus qu'à celles de l'autre vie, et qu'il ne lui restait aucun sentiment que le désir de le voir dans les mêmes dispositions où elle était.

M. de Nemours pensa expirer de douleur en présence de celle qui lui parlait. Il la pria vingt fois de retourner à Mme de Clèves, afin de faire en sorte qu'il la vît ; mais cette personne lui dit que Mme de Clèves lui avait non seulement défendu de lui aller redire aucune chose de sa part, mais même de lui rendre compte de leur conversation. Il fallut enfin que ce prince repartît, aussi accablé de douleur que le pouvait être un homme qui perdait toutes sortes d'espérances de revoir jamais une personne qu'il aimait d'une passion la plus violente, la plus naturelle et la mieux fondée qui ait jamais été. Néanmoins il ne se rebuta point encore, et il fit tout ce qu'il put imaginer de capable de la faire changer de dessein. Enfin, des années entières s'étant passées, le temps et l'absence ralentirent sa douleur et éteignirent sa passion[1]. Mme de Clèves vécut d'une sorte qui ne laissa pas d'apparence qu'elle pût jamais revenir. Elle passait une partie de l'année dans cette maison religieuse et l'autre chez elle ; mais dans une retraite et dans des occupations plus saintes que celles des couvents les plus austères ; et sa vie, qui fut assez courte, laissa des exemples de vertu inimitables.

---

1. Le véritable M. de Nemours se maria en 1566 avec Anne d'Este.

LEXIQUE

■ **Petit lexique du Grand Siècle**

Petit lexique du Grand Siècle

A

À : pour.

Abord (d') : aussitôt.

Accident : événement arrivé de manière imprévue (heureux ou funeste) ; complication.

Adresse : habileté.

Affecter de : feindre de.

Affliction : peine, douleur.

Agrément : beauté, charme, grâce.

Aider (aider à quelqu'un) : aider ; ce verbe peut se construire avec un complément indirect au xviie siècle.

Aigrir : accentuer.

Aimable : digne d'être aimé.

Air : allure extérieure, manière.

Ajustement : parure, atour.

Amant(e) : être aimé (le mot n'implique pas de relation physique entre les personnes).

Apparence : vraisemblance.

Application : obstination.

Attacher : unir par un sentiment ou par un lien moral.

Atteindre : conquérir.

Augure : présage.

Aussi : non plus.

Aventure : enchaînement d'événements.

B

Badiner : plaisanter avec légèreté.

Balancer : hésiter ; tempérer.

Barrière : barrière du clos dans lequel se déroulent les tournois.

Bienséance : conduite et mœurs décentes et convenables ; bonnes manières.

Brave : élégant, bien mis.

C

Cabale : complot, intrigue.

Cabinet : lieu où l'on se retire pour converser en privé.

Cachet : sceau.

Canne : bâton de commandement.

Céans : en ce lieu.

Cercle : société de femmes réunies autour de la reine pour le plaisir de la conversation.

Chaleur : ardeur.

Chamarré : orné.

Charge : dignité, emploi.

Chercher : rechercher.

Chiffres : entrelacement de lettres initiales dont on orne du linge, par exemple.

Civilité : politesse, bonnes manières.

Commerce : liaison, relation ; « avoir commerce avec quelqu'un » signifie entretenir des relations avec quelqu'un.

Commission : mission, tâche à accomplir.

Compliments : condoléances.

Congé : permission.

Connaître : apprendre.

Connétable : grand officier de la Couronne, premier officier des armées.

Considération : estime.

Contre son ordinaire : contrairement à ses habitudes.

Courre : forme archaïque de « courir ».

Course de bagues : jeu qui consistait pour les participants, munis d'une lance et montés sur un cheval au galop, à enlever des anneaux suspendus à un poteau.

Cramoisi : rouge foncé, tirant sur le violet.

D

Députer : envoyer.
Dessous : rez-de-chaussée.
Devant : avant.
Diligence (en) : à la hâte, rapidement.
Donner à un cheval : éperonner.
Double pièce : armure composée de deux pièces.

E

Éblouissement : étourdissement.
Échafaud : tribune pour les spectateurs.
Écu : bouclier.
Embarquer (s') : s'engager.
Embarrassé : impliqué, compromis.
Émulation : sentiment qui porte au zèle.
Engagement : aventure amoureuse.
Engager une personne : entraîner une personne dans une aventure amoureuse.
Enjouement : entrain, gaieté.
Entendre : comprendre.
Équipage : équipement nécessaire pour voyager.
Esprit : intelligence.
Étonner : frapper de manière brutale.
Expédient : ruse.
Extraordinaire : étrange.
Extravagance : folie.

F

Fier : confier.
Fille d'honneur : demoiselle de compagnie, jeune noble au service de la reine.
Finesse : mensonge.
Fortune : hasard ; richesse.
Fulmination : publication d'une décision canonique.

G

Galant : distingué, élégant ; versé dans les affaires de cœur.
Galanterie : distinction, élégance dans les manières ; intrigue amoureuse ; parole galante destinée à séduire.
Garantir : préserver.
Glorieuse : fière, orgueilleuse.

H

Hardiesse : courage, témérité.
Hasard (prendre le / se mettre au) : courir le risque.
Hautaine : supérieure.
Honnête homme : homme distingué, qui maîtrise l'art de plaire à la cour.
Honnêteté : politesse, civilité.

I

Imprécation : souhait de malheur contre quelqu'un.
Incivilité : impolitesse.
Inclination : penchant, passion.
Instance : démarche.
Intelligence : relation.
Intérêt : part que l'on prend à une affaire.

J

Laisser de (ne pas) : ne pas cesser de.
Liaison : relation.
Libéral : généreux.
Libéralité : générosité.
Lice : champ clos, lieu du tournoi.
Lors : alors.

M

Machine : pièce, spectacle qui nécessite des machines pour les changements de décor.

Magnificence : faste, luxe.

Maître du camp : personne qui dirige les tournois.

Maîtresse : femme aimée.

Mander : faire savoir ; demander.

Méchant : vil, méprisable.

Médiocre : commune, ordinaire.

Mérite : qualités d'une personne.

O

Obligeant : chaleureux, tendre.

Opiniâtrer (s') : s'entêter.

Orfrisé : tissu en or crêpelé.

Ouïr : entendre.

P

Particulier : privé ; étrange ; modeste.

Particulier (en) : en privé.

Pas : lieu de passage défendu par un cavalier dans un tournoi ; « ouvrir le pas » signifie « ouvrir un tournoi ».

Passer : surpasser.

Paume : sport qui consistait à renvoyer, d'abord à la main puis à l'aide d'une raquette, une balle de part et d'autre d'un filet. Ce sport est l'ancêtre du tennis.

Pénétrer : percer, toucher.

Piqué : vexé.

Poste : voiture qui achemine le courrier.

Prodigalité : générosité presque excessive.

Q

Qualité : caractéristique (se dit en bien ou en mal).

Quasi : presque.

Quérir : chercher.

R

Réflexion (faire) : faire attention.

Requérir : demander.

Réserve de (à la) : à l'exception de.

Retardement : retard.

Retraite : solitude, action de se retirer de la vie mondaine.

Rêveur : concentré.

Rigueur : froideur.

Ruiné (être) : avoir perdu tout crédit.

S

Savoir : apprendre.

Secret : discrétion.

Sentir : comprendre ; ressentir.

Servant : serviteur.

Soin (avec) : régulièrement.

Soin : souci.

Soins : témoignages amoureux.

Souffrir : supporter.

Soutenir : supporter ; défendre.

Surmonter : vaincre.

T

Tenant : personne qui dans un tournoi affronte l'adversaire qui se présente.

Tout à l'heure : tout de suite.

Transport : trouble, émoi.

Traverser : empêcher.

V

Vidame : personne responsable des biens d'un évêché.

Visionnaire : fou.

Voie : moyen.

DOSSIER

■ **De l'honnête homme au courtisan :**
l'art de plaire et de réussir à la cour

De l'honnête homme
au courtisan :
l'art de plaire et de réussir
à la cour

Les théoriciens de l'honnêteté

Baldassare Castiglione, *Le Livre du courtisan* (1528)

Baldassare Castiglione (1478-1529), gentilhomme italien, vécut à la cour des marquis de Mantoue puis à celle des ducs d'Urbino.

En 1528, un an avant sa mort, fort de son expérience, il publie à Venise *Le Livre du courtisan*. Cet ouvrage, très caractéristique de la Renaissance italienne, est rédigé dans un but pédagogique. L'auteur entreprend en effet de dresser le portrait du courtisan idéal afin d'instruire les jeunes gens qui veulent plaire. Au travers de dialogues philosophiques et culturels, avec le peintre Raphaël et le poète Bembo qu'il a fréquentés, l'auteur saisit la cour d'Urbino au temps du duc Guidobaldo de Montefeltro (mort en 1508) et aborde les préoccupations des courtisans : noblesse, amour, arts militaires et art de la conversation, bonnes manières... Son livre est traduit en français dès 1537 par J. Chaperon, puis en espagnol, en anglais, en allemand et en latin. En peu de temps, il devient un manuel de savoir-vivre répandu dans les cours européennes. Dans le livre I, Castiglione chante les mérites de la cour d'Urbino, microcosme où règnent raffinement et élégance.

Ainsi donc toutes les heures du jour étaient partagées en d'honorables et plaisants exercices, tant du corps que de l'esprit ; mais parce que M. le duc, à cause de sa maladie, allait se coucher très tôt après souper, chacun, à l'ordinaire [1], se rendait alors là où était

---

1. *À l'ordinaire* : d'habitude.

Mme la duchesse Elisabetta Gonzaga, et où se trouvait toujours aussi Mme Emilia Pia, qui, parce qu'elle était douée d'un esprit et d'un jugement très vifs, comme vous le savez, semblait diriger tout le monde, de manière que chacun sollicitait son avis et son jugement.

Là donc on entendait de doux propos et d'honnêtes traits d'esprit, et sur le visage de chacun on voyait peinte une joyeuse gaîté, si bien que l'on pouvait certainement dire que cette maison était proprement la demeure de l'allégresse [...].

Car si l'on met à part le grand honneur que c'était pour chacun de nous d'être au service d'un seigneur tel que celui dont j'ai parlé plus haut, dans le cœur de tous naissait un grand contentement [1] toutes les fois que nous venions en la présence de Mme la duchesse, qui semblait être une chaîne qui nous eût tous unis dans l'amour, au point que jamais il n'y eut d'accord de volonté ou amour cordial [2] entre frères plus grand que celui qui existait entre nous tous.

Il en allait de même avec les femmes, avec lesquelles on pouvait librement et honnêtement converser, car il était permis à chacun de parler, de s'asseoir, de plaisanter et de rire avec qui bon lui semblait. Mais on portait à Mme la duchesse une si grande révérence [3] que la liberté même servait de frein très puissant, et qu'il n'y avait personne qui ne tînt pour plus grand plaisir du monde de complaire [4] à cette dame, et pour la plus grande peine de lui déplaire. [...]

Et ainsi, marquant son empreinte sur ceux qui l'entouraient, elle semblait tous les modeler selon sa propre qualité et sa forme. Aussi chacun tâchait-il d'imiter ses façons, tirant pour ainsi dire de la présence d'une dame si grande et si vertueuse une règle de bonnes manières. [...]

Le Livre du courtisan, GF-Flammarion,
1987, livre I, chap. IV, p. 23-24.

---

1. *Contentement* : satisfaction, bonheur.
2. *Cordial* : amical.
3. *Révérence* : respect.
4. *Complaire* : plaire.

1. Quelles sont les qualités des hommes et des femmes de la cour d'Urbino ? Caractérisez les rapports hommes/femmes dans l'extrait. Pourquoi l'honnête homme se rend-il agréable ?

2. Quelle est la figure de style dominante dans l'extrait ? Commentez son usage.

3. En quoi ce portrait de cour relève-t-il de l'utopie ?

Nicolas Faret, *L'Honnête Homme ou l'Art de plaire à la cour* (1630)

Nicolas Faret (v. 1596-1646) ne figure pas parmi les auteurs du Grand Siècle que la postérité a retenus. Pourtant, il fut l'un des premiers membres de l'Académie française, créée par Richelieu en 1634, côtoya le grammairien de renom Vaugelas, fut l'ami du célèbre poète Saint-Amant, et surtout publia en 1630 un traité de civilité, *L'Honnête Homme ou l'Art de plaire à la cour*, qui connut un très grand succès.
Faret codifie les règles de bonne conduite en société en s'appuyant sur l'ouvrage de Castiglione et sur des réflexions puisées dans les *Essais* de Montaigne. À la cour ou dans les salons triomphent la politesse, le raffinement, l'élégance et les vertus morales qui sont autant de qualités de l'honnête homme.

[…] je trouve encore nécessaire un bon corps, de belle taille, plutôt médiocre [1] que trop grand, plutôt grêle [2] que trop gros, des membres bien formés, forts, souples, dénoués [3], et faciles à s'accommoder à toutes sortes d'exercices de guerre et de plaisir. […]

Pour celles [les qualités] de l'esprit, elles sont presque infinies et sont toujours excellentes, lorsqu'elles ont pour guide la Vertu, qui comme le Soleil, rend plus beaux et plus éclatants tous les objets à qui elle se communique. […] Avec les avantages du corps et de l'esprit […], je veux qu'il [l'honnête homme] soit doué de vrais ornements de l'âme, c'est-à-dire des vertus chrétiennes, qui comprennent toutes les morales. […]

---

1. *Médiocre* : moyen.
2. *Grêle* : fin, mince.
3. *Dénoués* : déliés.

L'une des plus importantes et des plus universelles maximes que l'on doit suivre en ce commerce [la conversation] est de modérer ses passions, et celles surtout qui s'échauffent le plus ordinairement dans la conversation, comme la colère, l'émulation [1], l'intempérance [2] au discours, la vanité à tâcher de paraître par-dessus les autres. Et ensuite, de celles-ci ; l'indiscrétion, l'opiniâtreté [3], l'aigreur, le dépit, l'impatience, la précipitation. [...] Un esprit modéré [...] saura, pour plaire [...], se ployer et s'accommoder aux occasions.

L'Honnête Homme ou l'Art de plaire à la cour,
Genève, Slatkine, 1970.

1. Quelles sont les principales qualités de l'honnête homme ? Retrouvez dans le roman de Mme de Lafayette des passages dans lesquels sont dressés des portraits d'honnêtes hommes ou d'honnêtes femmes. En quoi ce modèle de société rappelle-t-il les préceptes de l'éducation humaniste ?

2. Travail d'écriture : à votre tour, rédigez quelques articles d'un traité sur l'éducation dont vous seriez l'auteur.

Plaire ou réussir à la cour ?

Jean de La Fontaine, « Les Obsèques de la Lionne »,
Fables (1668, 1678, 1694)

La Fontaine connut la disgrâce et le bannissement de la cour. Nicolas Fouquet, son mécène, fut embastillé par Louis XIV en 1661, pour malversations, après avoir organisé une fête jugée trop fastueuse dans son château de Vaux (plus connu sous le nom de Vaux-le-Vicomte), entraînant le poète dans sa chute.

Dans ses *Fables*, La Fontaine, en moraliste lucide, dénonce les comportements mondains et lève le voile des apparences : ce que vise le courtisan habile, c'est la gloire et la reconnaissance du roi, non le Bien.

---

1. *Émulation* : concurrence, compétition.
2. *Intempérance* : excès.
3. *Opiniâtreté* : ténacité, acharnement.

Sous Louis XIV, le modèle de l'honnête homme évolue donc vers celui du courtisan-caméléon et flatteur, soucieux de plaire à tout prix au monarque, afin d'obtenir ses faveurs.

Les Obsèques de la Lionne

La femme du lion mourut :
Aussitôt chacun accourut
Pour s'acquitter envers le prince
De certains compliments de consolation,
Qui sont surcroît d'affliction [1].
Il fit avertir sa province [2]
Que les obsèques se feraient
Un tel jour, en tel lieu, ses prévôts [3] y seraient
Pour régler la cérémonie,
Et pour placer la compagnie.
Jugez si chacun s'y trouva.
Le prince aux cris s'abandonna,
Et tout son antre [4] en résonna.
Les Lions n'ont point d'autre temple.
On entendit, à son exemple,
Rugir en leurs patois messieurs les courtisans.
Je définis la cour un pays où les gens
Tristes, gais, prêts à tout, à tout indifférents,
Sont ce qu'il plaît au prince, ou s'ils ne peuvent l'être,
Tâchent au moins de le paraître :
Peuple caméléon, peuple singe du maître,
On dirait qu'un esprit anime mille corps ;
C'est bien là que les gens sont de simples ressorts.
Pour revenir à notre affaire
Le cerf ne pleura point, comment eût-il pu faire ?

---

1. *Affliction* : voir note 3, p. 57.
2. *Sa province* : son royaume.
3. *Prévôts* : officiers du roi.
4. *Antre* : caverne, grotte.

Cette mort le vengeait ; la reine avait jadis
      Étranglé sa femme et son fils.
Bref, il ne pleura point. Un flatteur l'alla dire,
      Et soutint qu'il l'avait vu rire.
La colère du roi, comme dit Salomon [1],
Est terrible, et surtout celle du roi lion ;
Mais ce cerf n'avait pas accoutumé de lire [2].
Le monarque lui dit : «Chétif [3] hôte des bois
Tu ris, tu ne suis pas ces gémissantes voix.
Nous n'appliquerons point sur tes membres profanes
      Nos sacrés ongles ; venez, loups,
      Vengez la reine, immolez [4] tous
      Ce traître à ses augustes mânes [5].»
Le cerf reprit alors : «Sire, le temps de pleurs
Est passé ; la douleur est ici superflue.
Votre digne moitié [6], couchée entre des fleurs,
      Tout près d'ici m'est apparue ;
      Et je l'ai d'abord reconnue.
Ami, m'a-t-elle dit, garde que ce convoi,
Quand je vais chez les dieux, ne t'oblige à des larmes.
Aux Champs Élysiens [7] j'ai goûté mille charmes,
Conversant avec ceux qui sont saints comme moi.
Laisse agir quelque temps le désespoir du roi.
J'y prends plaisir. À peine on eut ouï la chose,
Qu'on se mit à crier : Miracle, apothéose [8] !

---

1. Comme dit Salomon : roi d'Israël (972-932 av. J.-C.) réputé pour sa sagesse.
2. N'avait pas accoutumé de lire : n'avait pas l'habitude de lire, n'était pas savant.
3. Chétif : faible.
4. Immolez : sacrifiez.
5. Mânes : âmes des morts.
6. Moitié : épouse.
7. Champs Élysiens : séjour des bienheureux dans l'Antiquité.
8. Apothéose : triomphe.

Le cerf eut un présent, bien loin d'être puni.
        Amusez les rois par des songes,
Flattez-les, payez-les d'agréables mensonges,
Quelque indignation dont leur cœur soit rempli,
Ils goberont l'appât ; vous serez leur ami.

Fables, Gf-Flammarion, 1995, livre VIII, p. 246.

1. Établissez la composition de la fable. Commentez la rime « être/paraître ». Montrez que la fable constitue une satire à la fois du monarque et des courtisans. Explicitez le sens de la moralité. Vous paraît-elle morale ?

2. De l'apologue ou du traité, quelle est la forme argumentative qui vous semble la plus efficace pour convaincre le lecteur ?

Le courtisan, un fin stratège

Baltasar Gracián, *L'Homme de cour* (1684)

Comme Castilglione, le moraliste et essayiste espagnol Baltasar Gracián (1601-1658) reçut une culture humaniste mondaine et militaire, accordant une grande importance à l'art de la conversation et à la maîtrise de la rhétorique. En 1633, il fit son entrée dans l'ordre des Jésuites [1] où il tint une charge d'enseignement. Parallèlement, il rédigea plusieurs ouvrages établissant une étiquette ou manière de se conduire à la cour. *El Héroe* (*Le Héros*), *El Político* (*Le Politique*), *El Discreto* (*L'Homme universel*), ainsi que *El Oráculo Manual y Arte de Prudencia* (*L'Homme de cour*) établissent les ruses et les stratagèmes qu'il faut adopter pour briller et s'élever à la cour.
El Oráculo Manual y Arte de Prudencia, recueil de trois cents maximes et sentences, traduit en français par Amelot de La Houssaie en 1684, apprend ainsi comment se comporter avec habileté en société et comment percer les desseins d'autrui. Véritable éloge de la dissimu-

---

1. *Jésuites* : voir note 1, p. 15.

lation, l'ouvrage prêche le discernement et la prudence en matière de conduite sociale et personnelle. Si Castiglione proposait une vision idéalisée des rapports sociaux à la cour, Gracián, à l'inverse, dessine une image machiavélique du courtisan.

Ne se point ouvrir, ni déclarer

L'admiration que l'on a pour la nouveauté est ce qui fait estimer les succès. Il n'y a point d'utilité ni de plaisir à jouer à jeu découvert. De ne pas se déclarer incontinent [1], c'est le moyen de tenir les esprits en suspens [2], surtout sur les choses importantes, qui font l'objet de l'attente universelle. Cela fait croire qu'il y a du mystère en tout, et le secret excite la vénération [3]. Dans la manière de s'expliquer, on doit éviter de parler trop clairement ; et dans la conversation, il ne faut pas toujours parler à cœur ouvert. Le silence est le sanctuaire [4] de la prudence. Une résolution déclarée ne fut jamais estimée [5]. Celui qui se déclare s'expose à la censure et, s'il ne réussit pas, il est doublement malheureux. Il faut donc imiter le procédé de Dieu, qui tient tous les hommes en suspens.

L'Homme de cour, Champ libre, 1972.

1. Étudiez et commentez le champ lexical du secret dans l'extrait. Quel est le sens du mot « prudence » dans le passage ? Définissez le rapport du courtisan à la parole. Diriez-vous que le texte de Gracián est cynique ? Quelle image du rapport entre les hommes le passage offre-t-il ?

2. Travail d'écriture : rédigez une fable en prose qui aura pour titre « La faim justifie les moyens ».

---

1. *Incontinent* : immédiatement.
2. *En suspens* : dans l'attente.
3. *Vénération* : respect.
4. *Sanctuaire* : temple.
5. *Estimée* : reconnue.

De l'honnête homme à l'« habile homme »

Jean de La Bruyère, *Les Caractères* (1688)

Précepteur du duc de Bourbon – fils du prince de Condé et petit-fils du Grand Condé –, La Bruyère (1645-1696), logé à Versailles, puis à Chantilly, ou encore au palais du Luxembourg, eut tout loisir d'approcher et d'observer les grands.

Dans son unique livre *Les Caractères*, publiés pour la première fois en 1688, et retravaillés jusqu'en 1696, La Bruyère, en moraliste, peint l'« homme en général » mais, en sociologue, esquisse aussi les « mœurs de son temps » (Préface).

Dans le chapitre v, intitulé « De la Société et de la conversation », il dresse le portrait d'un honnête homme qui se doit avant tout d'être un « habile homme ». Maître des apparences et du masque, ce dernier adopte une attitude polie et flatteuse pour s'attirer les bonnes grâces d'autrui.

La politesse n'inspire pas toujours la bonté, l'équité [1], la complaisance, la gratitude ; elle en donne du moins les apparences, et fait paraître l'homme au dehors comme il devrait être intérieurement.

L'on peut définir l'esprit de politesse, l'on ne peut en fixer la pratique : elle suit l'usage et les coutumes reçues ; elle est attachée aux temps, aux lieux, aux personnes, et n'est point la même dans les deux sexes, ni dans les différentes conditions ; l'esprit tout seul ne la fait pas deviner : il fait qu'on la suit par imitation, et que l'on s'y perfectionne. [...]

Il me semble que l'esprit de politesse est une certaine attention à faire que par nos paroles et par nos manières les autres soient contents de nous et d'eux-mêmes.

Les Caractères, GF-Flammarion, 1965,
chap. v, remarque 32, p. 157.

---

1. *Équité* : justice.

1. Commentez l'opposition entre « apparences » et « intérieurement ». Quels glissements s'opèrent dans le texte de La Bruyère par rapport aux textes de Castiglione ou de Faret ? Comment La Bruyère définit-il la politesse ? Cette définition vous paraît-elle paradoxale ? Quelles sont les motivations qui guident les actions des hommes ? Peut-on dire que La Bruyère propose une vision pessimiste de l'homme ?

2. Travail d'écriture : imaginez un court apologue (quarante lignes maximum) mettant en scène un personnage qui incarnerait la politesse telle que la définit La Bruyère dans sa remarque.

Imprimé à Barcelone par:

BLACK PRINT

Dépôt légal : mai 2012
Numéro d'édition : L.01EHRN000320.C005